LE ROMAN D'UN ENFANT

*Du même auteur
dans la même collection*

AZIYADÉ

MADAME CHRYSANTHÈME

LE MARIAGE DE LOTI

PIERRE LOTI

LE ROMAN D'UN ENFANT

Préface, notes, bibliographie, chronologie
par Bruno VERCIER

GF-Flammarion

© 1988, FLAMMARION, Paris
ISBN 2-08-070509-1
Imprimé en France

PRÉFACE*

Tomber dans l'oubli

Tomber dans l'oubli... tomber dans le domaine public... il est, pour un écrivain, toutes sortes de chutes. Profitons de la seconde (Loti est mort en 1923) pour donner à lire *Le Roman d'un enfant*, dont c'est presque le centenaire : le livre fut écrit en 1888-1890, et publié en 1890. Ce n'est sans doute pas le plus connu des livres de Loti mais c'est sûrement le texte « central » de son œuvre. L'écrivain, délaissant un instant les évocations lointaines, les destins pathétiques et les amours exotiques qui, depuis *Aziyadé* (1879), l'avaient rendu célèbre, éprouve le besoin de revenir au monde clos de la province natale, aux relations serrées de la famille, aux descriptions nostalgiques d'une vie sans aventure. Mais c'est bien là que s'est formé un tempérament plein de contradictions, toujours pris entre le départ et les retours, le mouvement et la contemplation, l'ordre et les ruptures, toutes tensions qui ne peuvent se vivre que dans l'écriture.

* Nous tenons à remercier M. Pierre Pierre-Loti Viaud, petit-fils de l'écrivain, pour l'amabilité de son accueil et la générosité de son appui ; ainsi que M. Fernand Laplaud, M. Alain Quella-Villéger, M. Daniel Hervé, pour toutes les informations qu'ils ont accepté de nous communiquer ; la conservatrice et le personnel du Musée Pierre-Loti de Rochefort pour leur dévouée compétence.

Admiré de son vivant, glorieux à l'extrême, traîné dans la boue à sa mort par les surréalistes, Loti est-il réellement oublié ? Peu accessible, certes, du fait de la négligence de son éditeur, il suscite cependant un des plus beaux textes de Roland Barthes (préface pour *Aziyadé*). Proust récitait par cœur des passages du *Mariage de Loti*, le plus étonnant sans doute de ces étranges livres qui auraient dû retenir l'attention d'André Breton plutôt que provoquer ses sarcasmes. Si quelqu'un s'est voulu libre par rapport aux conventions du roman réaliste, aux personnages, à l'action, c'est bien Loti. Journal, Histoire, Aventures, Souvenirs, Lettres, un livre de Loti est toujours autre chose qu'un roman, c'est le tracé fragile, inquiet, d'un sismographe intérieur infiniment sensible, l'écho changeant d'une des vies d'écrivains les plus surprenantes que l'on puisse imaginer.

Donc : Loti écrivain. Majeur ou mineur, peu importe. Avec un monde à lui, une voix, des thèmes, des tics, des trucs. Une musique singulière surtout. Vertige du vide et ferveur intense, angoisse du temps qui passe et qui emporte, attachement maniaque, quasi fétichiste, aux objets et aux gens, goût des masques et de la sincérité. Simplicité des moyens, magie des évocations, art du presque rien.

Le plus surprenant, en fin de compte, ce n'est pas l'oubli dans lequel il était, dit-on, tombé — mais qu'il ait pu être aussi célèbre. Parmi les efflorescences fin de siècle, comment une telle économie d'écriture a-t-elle pu se faire reconnaître ? Sur quel malentendu cette renommée ?

La maison d'haleine

Ce n'est pas un titre de Loti[1]. Ce pourrait l'être. Maison immatérielle, maison du souvenir, de la

---

1. William Goyen, *The House of breath*, 1950; *La Maison d'haleine*, 1954, trad. M.-E. Coindreau, Gallimard.

mémoire, maison textuelle. Maison natale, maison d'enfance, jamais réellement quittée.

Maison réelle longtemps menacée : en 1886 les ennuis financiers (évoqués au chapitre 19 et au chapitre 82) obligent les Viaud à en louer une partie. Et, un peu plus tard, en 1871, il faudra que Julien, tout jeune aspirant de marine, hypothèque sa solde à venir pour empêcher une vente presque déjà signée. Pendant des années, il n'aura qu'un seul souci, payer ces dettes, racheter la maison, remettre les choses en l'état. En 1880, c'est chose faite. C'est alors qu'il commence à transformer cette maison pour en faire le musée vivant de ses voyages autour du monde : en 1880 la chambre de tante Rosalie devient un salon turc — en attendant la mosquée, la salle gothique, la salle des momies, etc. Même si le noyau central n'est pas touché par ces « embellissements », on peut s'interroger sur l'ardeur que met Loti (c'est en 1881 qu'il signe pour la première fois un livre de ce nom, *Le Roman d'un spahi*) à masquer de la sorte la maison d'enfance. De même que Viaud a disparu derrière Loti, la maison austère, bourgeoise, devient le lieu de tous les Orients, le paradoxal concentré des errances et des amours du voyageur jamais comblé.

En 1887, année de la mort de son premier-né et de son voyage en Roumanie d'où lui vient l'idée, si l'on en croit la dédicace, du *Roman d'un enfant,* commence une seconde tranche de travaux qui permettent à la fois de retrouver, puis de détruire, la maison qui fut le cadre de son enfance. Quelques pages du Journal intime (inédit)[1] donnent les réactions contradictoires de Loti durant les travaux :
— *le mercredi 23 février 1887 :* « A la maison, c'est aussi le dernier jour de *l'Atelier,* les charpentiers, les maçons ont fait tomber l'ancienne façade ; c'est comme un éboulement... Et je regarde avec tristesse finir ce que j'ai connu toute ma vie. » Notons

---

1. Ce journal, encore en grande partie inédit, est la propriété des petits-fils de l'écrivain.

seulement que personne n'a obligé Loti à entrepren-
dre ces travaux, sinon son désir de changement, si
curieusement lié à son besoin de permanence, d'im-
mobilité, qui va jusqu'à l'embaumement.

— *juillet de la même année :* « Et voilà la maison
comme au vieux temps, les pauvres vieilles seules avec
moi, — bien plus vieilles encore, — et la maison plus
belle, — moi, plus désespérément las de toute
chose... »

— *9 mars 1889* (il fait démolir la chambre turque,
aménagée quelques années auparavant, et se trouve
certainement en pleine rédaction du *Roman d'un
enfant*) : « Et le soir, au crépuscule d'hiver, quand
l'œuvre de destruction est terminée, réapparaît ce qui
avait été caché pendant des années sous les tentures de
soie, le vieux papier vert des murs, la vieille cheminée
grise à deux tons, — le fantôme de la chambre de tante
Lalie que j'avais perdue de vue depuis mon enfance et
que je retrouve là tout à coup, avec mille souvenirs
mélancoliques. — Ah! la triste et sombre journée... »

Maison palimpseste... Pourtant Loti s'empresse de
recouvrir à nouveau la feuille originelle décapée, tel
est le mouvement de la vie. L'écrivain, lui, s'attache à
faire surgir des voiles de la mémoire la maison qui fut,
telle qu'elle fut, ou telle qu'il la rêve — et qui, de toute
façon, n'est pas cette maison matérielle qui émerge ou
qui disparaît au gré des fantaisies cosmopolites du
marin bâtisseur. Etrange coexistence d'un passé à tout
jamais fixé et d'un présent en perpétuel travail, —
d'un enfant et d'un homme, — de l'enfant dans
l'homme.

D'un titre

Pourquoi le *roman* d'un enfant? Loti serait-il le
précurseur de cette « autofiction[1] » tant pratiquée de

1. Voir *Fils* (1977) de Serge Doubrovsky, et la mise au point de
P. Lejeune, « Autobiographie, roman et nom propre », dans *Moi
aussi*, 1986, Seuil.

nos jours, aux frontières du roman et de l'autobiographie ? Lui qui, dans ses premières œuvres, ne faisait guère que raconter sa vie, présentant *Aziyadé* comme une « histoire vraie », disant de *Madame Chrysanthème* : « C'est le journal d'un été de ma vie, auquel je n'ai rien changé, pas même les dates », est-il en train de s'inventer une enfance ? Le titre semble calqué sur celui du *Roman d'un spahi*, l'un des rares vrais romans de Loti, où celui-ci fabrique un personnage extérieur à lui-même (sa propre histoire d'amour au Sénégal n'apparaît pas dans le livre). Pourtant, aucun doute sur le caractère autobiographique du *Roman d'un enfant*. La dédicace fournit tous les éléments du pacte classique : le Je qui raconte est bien celui de Pierre Loti racontant sa propre histoire, etc. S'il ne revendique pas d'entrée de jeu la vérité qui garantit ce genre de texte, il affirme très vite, dès le chapitre 6 : « Et tout ce chapitre, presque inintelligible, n'a d'autre excuse que d'avoir été écrit avec un grand effort de sincérité, d'être absolument vrai. »

Où alors situer le « roman » ? Nous verrons qu'à plusieurs reprises Loti transforme les événements (erreurs de dates, omissions de faits importants) : avec sa vie réelle il écrit une autre vie, celle de l'enfant qu'il veut avoir été, celle qui *doit* être à l'origine d'une œuvre bien spécifique qui existe déjà, ce qui entraîne nécessairement modifications, dramatisation, insistances, remodelages : le « roman » doit être, on s'en doute, plus cohérent que la vie même, d'une vérité autre.

Mais d'abord, la question des noms propres. « Les noms des personnes et ceux des navires ont une physionomie par eux-mêmes, presque un sens » (*Pêcheur d'Islande*). Et surtout son propre (pré)nom. Un exemple : « Mais tout à coup je m'entendis appeler : Pierre ! Pierre ! Mon petit Pierrot ! » (chap. 3). Non, ce n'est pas vrai, ce n'était pas ainsi : à l'époque l'enfant s'appelle Julien et est affublé de différents surnoms : Fédin, Zézin, etc. — dont aucun ne figure dans le livre. Ce prénom de Pierre il l'a choisi, ce nom de Loti, dont il fut « rebaptisé » à Tahiti, est d'abord celui que Julien Viaud a donné au héros d'*Aziyadé* et du *Mariage de Loti* (publiés sans nom d'auteur), et dont il va faire son pseudonyme. Ce premier décalage est d'autant plus décisif que Loti utilise aussi de vrais noms (ou prénoms) : Lucette par exemple, ou Sa Suprématie, qu'il mêle à de faux noms : les prénoms des tantes, ou le nom des camarades de jeux dans le Midi (Peyral : nom qu'il avait déjà donné au héros du *Roman d'un spahi* : là encore, la fiction nourrit l'autobiographie). Qu'il mêle également à des initiales : les D. (pour Duplais), procédé ambigu qui rappelle certains romans du xviiie siècle. Ou même à l'absence complète de dénomination : pas de prénom ni de nom de famille pour ses proches (le nom de Loti ne saurait être rétrospectif), le nom de Rochefort ne figure pas dans le texte, mais Oléron et la Limoise y sont. Difficile de dégager les principes qui règlent cette répartition ? L'effet, lui, est certain : créer un univers imaginaire, dans lequel l'écrivain aura toute liberté pour se mouvoir, pour choisir, ajouter, retrancher — personne n'aura à lui demander de compte, la seule fidélité requise étant celle de l'intime sentiment.

Et pourquoi *un enfant* plutôt que « mon enfance » ? Y aurait-il désir d'exemplarité : *un* enfant pour *tous* les enfants ? Un des premiers paragraphes pourrait le laisser croire : « Au début de l'existence, mon histoire serait simplement celle d'un enfant très choyé, très tenu, très obéissant... » Mais aussitôt Loti poursuit : « Aussi voudrais-je ne pas écrire cette histoire qui serait fastidieuse. » Ce qu'il veut, c'est noter ce qui le singularise, du côté de l'individuel et non du général : il ne peut y avoir roman que s'il y a aventures particulières. Sinon, c'est un traité, *L'Emile*...

Après avoir écrit la vie d'un matelot (et non du matelot) et d'un spahi, Loti raconte la vie (l'enfance) d'un autre personnage, cet enfant qui est lui-même, mais aussi un autre, d'être à cette distance énorme dans le temps, et dans lequel il se reconnaît sans pouvoir cependant s'identifier totalement à lui. Loti retrouve un des grands motifs du récit d'enfance : « j'étais déjà », « l'enfant est le père de l'homme », auquel il donne une couleur particulière par l'évocation des objets qui restent de ce temps-là : autant de « petites madeleines » qui font revivre parfums, couleurs et sons. Il y a chez lui, dès le plus jeune âge, une obsession de la relique : ne rien jeter, tout garder, tout conserver. Le plus bel exemple en est évidemment l'épisode du livre d'Histoire oublié sous la pluie (chap. 39), et qu'il retrouve couvert des arabesques de bave d'escargots : « Eh bien ! ces traînées d'escargots ont persisté longtemps, préservées par mes soins sous des enveloppes de papier. C'est qu'elles avaient le don de me rappeler mille choses, — grâce à ces associations comme il s'en est fait de tout temps dans ma tête, entre les images même les plus disparates, pourvu qu'elles aient été rapprochées une seule fois, à un moment favorable, par un simple hasard de simultanéité. » A la différence du narrateur proustien qui retrouve par hasard un passé qu'il croyait à tout jamais disparu, Loti, dès ses premières années, entreprend de préserver le plus grand nombre possible de fragments de son univers (baves d'escargots, papillons, petits meubles maternels, jouets d'enfant, etc.) dont il sait intuitivement qu'ils seront autant de flacons remplis des essences du passé. Sachant dans le même temps que ces retrouvailles lui donneront le sentiment tragique du temps enfui, de l'impossible retour aux origines. Ecrire le « roman d'un enfant », c'est peut-être trouver un moyen terme entre la confiance absurde, puisque forcément déçue, en les objets, et la satisfaction spirituelle à (faire) revivre ces années d'autrefois.

Il se fait presque tard

Loti n'a pas encore quarante ans lorsqu'il commence à écrire *Le Roman d'un enfant*, mais la première phrase de la dédicace fait résonner des accents qu'on croirait d'outre-tombe : « Il se fait presque tard dans ma vie, pour que j'entreprenne ce livre : autour de moi, déjà tombe une sorte de nuit... » Si l'on compare avec les autres grands mémorialistes du siècle, on constate au contraire que Loti fait figure de benjamin : Lamartine (59 ans), Sand (50 ans), Renan (60 ans), Mistral (76 ans)... Si on rapproche *Le Roman d'un enfant* d'autres « romans » d'enfance (livres présentés comme tels), Loti est alors effectivement à situer du côté des aînés : Balzac écrit *Louis Lambert* à 36 ans, Daudet *Le Petit Chose* à 28 ans, Vallès *L'Enfant* à 46 ans, Renard *Poil de carotte* à 30 ans, Ch.-L. Philippe *La Mère et l'enfant* à 24 ans, Léautaud *Le Petit Ami* à 31 ans, etc. Loti se situe entre les deux, comme son livre se situe entre les deux genres, romanesque et autobiographique.

En juillet 1889, alors qu'il est en plein travail de rédaction (le livre est sans doute entrepris fin 1888[1], et commence à paraître en revue au début de 1890), Loti note dans son « Journal » du 14 juillet : « Un jour triste pour moi chaque année, puisqu'il marque le milieu de l'été et qu'il semble que tout de suite après le mélancolique automne arrive. Triste cette année surtout, parce que cet été, ce dernier été de grâce qui m'a été accordé, n'aura certainement plus jamais son pareil. Jamais, je n'en aurai un autre semblable à celui-ci, au milieu des choses chères à mon enfance, avec mes pauvres vieilles mères et tantes qui vieillissent bien. Jamais non plus je n'aurai un pareil été d'amour... Et c'est aussi mon dernier été de jeunesse, car, l'an prochain, — et où serai-je ? — j'aurai atteint l'effrayant chiffre quatre, je serai sur le second versant où l'on redescend la vie...

« Habituellement, le 14 juillet, je restais enfermé à

1. La seule notation du Journal intime concernant la rédaction du *Roman d'un enfant* est du « mardi 14 janvier 1890 » (le livre commence de paraître en revue le... 15 janvier) : « Le travail, au jour le jour, du roman d'un enfant, avec la crainte effrénée de n'être pas prêt, m'ôte la faculté de penser. »

la maison et m'installais à travailler dans le berceau, sous le lierre et le chèvrefeuille, à la place où jadis je faisais mes devoirs d'enfant. »

Imaginaire ou physique, le retour à l'enfance (comme ce « berceau » est symptomatique !) est constant chez Loti. Inutile, au fond, de chercher les raisons qui ont pu l'amener à écrire ce livre : naissance de son fils (mars 1889), insistance de la reine de Roumanie, travaux d'embellissement de la maison natale... Si chacun de ces événements a pu jouer un rôle plus ou moins décisif, il n'en reste pas moins que Loti n'avait guère besoin d'un tel déclencheur. D'*Aziyadé* à *Madame Chrysanthème*, tous les livres précédents, récits d'amours et d'aventures exotiques, sont ponctués d'évocations de la terre natale et des années d'enfance. Dans le monde de l'évanescence qu'est le monde de Loti, elles seules semblent chargées de quelque réalité.

Aziyadé est — en partie — une lettre (fictive) à la sœur restée au pays natal, et plusieurs passages peuvent se lire comme autant de vignettes du pays d'enfance (transposé en Angleterre, dans le Yorkshire, pour les besoins du roman) et surtout, s'y exprime un attachement à la mère, symbole d'un temps et d'un lieu : « Tant que je conserverai ma chère vieille mère, je resterai en apparence ce que je suis aujourd'hui. Quand elle n'y sera plus, j'irai te dire adieu, et puis je disparaîtrai sans laisser de trace de moi-même. » Dans *Le Mariage de Loti* l'épisode de la visite à la case du frère disparu [1] est évidemment l'occasion d'une lettre à la sœur, où se lit l'envers de ce que dira *Le Roman d'un enfant*, l'attrait de l'enfant pour l'île lointaine et voluptueuse, telle qu'il l'imaginait d'après les lettres du frère : « Je ne puis te dire tout ce que j'éprouve d'impressions étranges, en retrouvant à chaque pas

1. Gustave Viaud, le frère aîné, avait séjourné à Tahiti en 1862. Il meurt en 1865. Julien séjourne à son tour à Tahiti en 1872, et visite la case où son frère a vécu. De ce séjour il tire *Le Mariage de Loti*, publié en 1880.

mes souvenirs de douze ans... Petit garçon, au foyer
de famille, je songeais à l'Océanie ; à travers le voile
fantastique de l'inconnu, je l'avais comprise et devinée
telle que je la trouve aujourd'hui. Tous ces sites
étaient " DÉJÀ VUS ", tous ces noms étaient bien
connus, tous ces personnages sont bien ceux qui jadis
hantaient mes rêves d'enfant, si bien que par instants
c'est aujourd'hui que je crois rêver. » Dans *Madame
Chrysanthème*, où Loti ne se dissimule plus derrière
l'uniforme trop transparent de l'officier britannique
des livres précédents, c'est à plusieurs reprises que la
peinture des amours japonaises fait soudain place, au
gré des associations les plus ténues, à des images
venues tout droit de cet espace-temps privilégié qu'est
pour Loti le monde des jeunes années. Ainsi tout le
début du chapitre : par un double dérapage temporel,
Loti saute du 14 juillet (la date lui tient vraiment à
cœur...) 1885 « Jour de la fête nationale de France.
Sur rade de Nagasaki, grand pavois en notre honneur
et salves d'artillerie », au « 14 juillet de l'an dernier,
passé dans un si grand calme, au fond de ma vieille
maison familiale », puis « au temps où je faisais mes
devoirs » pendant « les étés de mon enfance » :
« avais-je assez la tête ailleurs, — aux voyages, aux
pays lointains, aux forêts tropicales devinées en rêve...
[...] il m'était revenu mille souvenirs des premiers étés
de ma vie, souvenirs qui avaient dormi pendant des
années contre ce vieux mur, à l'abri des branches de
lierre. » Loti souligne lui-même le caractère insolite de
ces deux pages de retour au passé : « Je reconnais que
cet épisode d'enfance et d'araignées arrive drôlement
au milieu de l'histoire de Chrysanthème [1]. » Le souli-
gner c'est bien sûr le revendiquer comme marque
distinctive d'un art, aussi bien que d'un tempérament.

Déjà, dans l'étrange livre à deux voix qu'est *Fleurs
d'ennui* (1882, dialogue entre Loti et Plumkett), Loti,

---

1. Publié par les soins de Robert Guéneau dans les *Cahiers Pierre
Loti,* N°s 23 à 27, juin 1958-août 1959, « Le petit cahier mystérieux ».

libéré des contraintes de la fiction, avait ouvert grand les vannes de la mémoire. Sommé par son interlocuteur de raconter des histoires, il lui livre plusieurs longs souvenirs d'enfance et, en fait, toute la thématique qui sera celle du *Roman d'un enfant* : enfance trop choyée, fascination pour les colonies, difficulté à quitter la famille, etc. : « Malgré vos protestations, vous voyez que j'en reviens toujours à mes souvenirs d'enfance ». Deux de ces souvenirs (trop longs pour être cités ici : voir Annexe 1), seraient à considérer de très près, en rapport avec *Le Roman d'un enfant* ; le premier aurait pu tout aussi bien servir d'ouverture à ce livre : « C'est une histoire de moi. J'étais tout petit, tout petit enfant ; ce n'était peut-être pas le premier printemps auquel j'assistais sur la terre, mais c'était peut-être le second, ou tout au plus le troisième... » ; suit un long récit qui réunit tous les ingrédients des premiers chapitres du *Roman d'un enfant* : fin de journée, ombre et lumière, peur, mélancolie, besoin de consolation (assurée par une bonne et non par la mère : dans le *Roman*, ce sera une vieille tante), etc. L'autre est un souvenir de la Limoise, avec déjà (cf. *Roman*, chap. 3, et infra p. 31) une jeune fille (Lucette) grimpée « sur les branches basses d'un vieux poirier ». Déjà encore l'aïeul Samuel, l'île d'Oléron, des papillons, des fleurs séchées, et cette phrase qui se lit comme une première version d'une phrase de la dédicace du *Roman* : « Je suis obligé de remonter assez loin, pour trouver encore quelque chose de frais dans ma vie » : à comparer avec « où trouverai-je à présent des mots assez frais, des mots assez jeunes ? » Mais, aussi riches et aussi développés qu'ils puissent être, ces souvenirs d'enfance ne forment pas toute la substance du livre ; ils sont encore sentis comme des digressions par rapport au récit principal (souvenirs de voyages notamment, histoire des « trois dames de la kasbah », etc.).

Propos d'exil, publié la même année que *Madame Chrysanthème* (1887), est lui aussi scandé des rappels d'une époque lointaine et pourtant étrangement pré-

sente : constamment le voyageur d'Orient éprouve le
sentiment, la nostalgie, d'un ailleurs qui est toujours
cette même contrée natale. Un seul exemple : « Et
j'eus la sensation complète, pendant deux secondes, la
sensation du *pays*, avec le charme de nos étés de
France ; l'illusion d'un de mes réveils d'enfant, dans
quelqu'un de nos bois... » Toute la famille est présente dans le livre, aussi bien le frère mort — dont il
salue la mémoire au moment où il passe avec son
navire dans le golfe de Bengale « sur le point calculé
où, vingt ans auparavant, on avait immergé mon
frère » — que les tantes, grand-mères, mère, sœur,
nièce qui « reviennent », elles, dans un rêve longuement rapporté : le récit aboutit, après des scènes de
« castration » (« il faut couper, couper, couper ») à la
découverte d'une relique comme il en est tant dans la
vie et dans l'œuvre : « une petite robe d'enfant qu'on
avait cachée là... ». Ce n'est pas ici le lieu d'analyser ce
rêve en détail, mais seulement de constater une fois
encore que, pour Loti, l'enfance et la famille sont sans
cesse en train de revenir. A moins que ce ne soit lui
qui ne les ait jamais quittées ?

Tous les textes, à de rares exceptions (*Voyage au
Maroc*), qui précèdent *Le Roman d'un enfant*, s'ali-
mentent, d'une manière ou d'une autre, à la source de
l'enfance. Où Loti avait d'ailleurs commencé de
puiser dès l'âge de seize ans, au moment où il venait de
quitter Rochefort pour Paris afin de préparer l'entrée
à l'Ecole navale. Tous les jeunes Charentais exilés ne
sont pas des Rastignac partant à la conquête de la
capitale. Julien, pour se protéger contre la vie parisienne, entreprend de renouer le fil, ce cordon ombili-
cal qui le relie au pays natal, en redigeant son Journal.
Les premières pages de ce « petit cahier » sont autant
de « propos d'exil », pleines de références au monde
qu'il vient de quitter. Presque rien pour la grande ville
qu'il découvre. Dans *Prime jeunesse*, à propos de ce
cahier, Loti écrit : « Cependant, je n'y notais encore
presque jamais des choses journalières qui m'intéres-
saient trop peu, mais seulement des choses d'autre-

fois, pour les empêcher de me fuir tout à fait et la place que j'y donnais à la Limoise prouve l'importance du rôle que ce coin du monde a joué dans mon enfance. » Ce sont le plus souvent de simples notations qu'on peut considérer comme les germes des pages qu'il écrira vingt-cinq ans plus tard :

> « Les gorge-pigeon de tante Lalie.
> L'atlas de tante Clarisse. La mythologie de maman et ses dessins.
> La jeunesse de tante Lalie ; sa campagne où elle vit avec un loup.
> Suprématie, horreur de Souris. [...]
> I shall see the Southern Cross and shall say : the bread [1] of my childhood is accomplished. »

Mais aussi parfois des passages rédigés, et en particulier plusieurs évocations de la Limoise qui seront reprises, plus ou moins textuellement, dans *Prime Jeunesse* et dans *Le Roman d'un enfant* (les scènes d'orages). Et surtout une première « version » du livre d'Histoire couvert de bave d'escargots (voir Annexe 2) :

> « Pauvre petit livre, seul témoin palpable qui me restait de cette soirée, je ne devais pas le garder longtemps. Un soir, à la Limoise, je le trouvai détrempé, honteusement enfoui dans la boue, une grosse loche (limace en patois saintongeais) rouge avait même grimpé dessus. J'ai fait un trou dans la terre et je l'ai enterré au milieu du carré des asperges. J'ai éprouvé un soulagement mêlé de peine de ne plus l'avoir en ma possession. »

On appréciera la transformation ; l'enterrement est plus vraisemblable, mais moins poétique, que la mise sous cellophane des baves d'escargots... On trouve aussi, dans ce cahier d'adolescent, de longues pages

---

1. Il convient de lire « dream » plutôt que « bread » ?

(qui seront récrites dans le chapitre 23 du *Roman* : la marchande de gâteaux), accompagnant la notation musicale de l'air de la chanson (voir Annexe 3) :

gâteaux,   gâteaux !   mes bons gâteaux   tout chauds

L'adolescent de seize ans et demi pense aux jours de Rochefort (qu'il vient à peine de quitter) comme à un passé très lointain qu'il lui faut fixer de peur de le perdre irrémédiablement : « Pauvre petit chant si simple et si triste quand t'ai-je entendu ? C'est hélas il y a un an pour la dernière fois, j'étais encore enfant au foyer paternel, mais ces jours heureux sont passés [...] De peur que le temps n'ait effacé quelque chose de ces souvenirs, tout à l'heure je les ai repassés dans mon esprit. »

Loti, on le voit, n'avait jamais cessé d'écrire son enfance. Tous les matériaux du *Roman d'un enfant* étaient en fait déjà disponibles. Il ne s'agit pas pour l'écrivain de les retrouver (puisqu'il ne les a jamais perdus, et le « trop tard » de la dédicace ne saurait désigner une lutte contre le temps, à la manière du narrateur proustien pressé par le temps et l'oubli), mais d'en faire un livre qui leur soit totalement consacré, de les disposer, de donner un sens à ce qui doit devenir un récit. Au lieu de laisser ces souvenirs éclater, au gré des réminiscences, comme des bulles à la surface des livres d'amours exotiques ou de voyages, il lui faut leur faire toute la place pour raconter comment Julien Viaud, fils trop sage d'un employé municipal de la ville de Rochefort, est devenu Pierre Loti, navigateur et célèbre écrivain. Non pas une simple collection de souvenirs mais un récit autobiographique véritable.

Une double vocation

L'autobiographie d'un écrivain est toujours, à des degrés divers, le récit de sa vocation, l'exploration de son rapport aux mots et à l'écriture, en même temps que de son rapport au monde. *Le Roman d'un enfant* ne manque pas à cette tradition que, d'ailleurs, il complique en la redoublant : Loti nous raconte comment Pierre devient marin (après avoir voulu être pasteur, missionnaire, etc.) mais aussi comment ce marin devient — c'est-à-dire comment l'enfant est déjà — Pierre Loti.

Généalogie, géographie, milieu familial, circonstances de la vie, autant d'éléments qui font naître et favorisent un désir en apparence inexplicable. L'île, les marins, le port, le frère, la ruine du père, tout cela explique, certes, que Pierre se retrouve à dix-sept ans sur le *Borda*. Mais les obstacles étaient tout aussi puissants : les craintes des parents, le tempérament de l'enfant. Et puis, parmi tous les aspirants qui, en octobre 1867, embarquent sur le *Borda,* un seul va devenir Pierre Loti. Un seul sans doute est là parce qu'il a rêvé, lui, sur des images en couleurs, sur des mots, sur des phrases : images de palmiers, le mot « colonies », les journaux de bord du siècle dernier (chap. 66). Ce dernier épisode, surtout, met en évidence les liens qui unissent les deux côtés de la vocation de Loti : être marin — c'est-à-dire exercer un « métier qui m'effrayait et qui m'était défendu, que de choses devaient être charmantes » (p. 217) — et en venir à l'écriture, autour de la même idée de charme : « et toujours j'ai trouvé une espèce de charme à noter ensuite l'incident sur le journal de bord » (p. 217). L'écriture permet d'être ailleurs, dans l'espace et dans le temps : « Pénétrer tout à coup dans l'intimité de ces aspects du ciel et de la mer, au milieu du Grand Océan, et à une date si précise d'une année déjà si

lointaine. » Des mots lus dans la petite enfance
jusqu'aux choses de la mer vécues plus tard et qui
ramènent à l'écriture. Les romans de Loti, a-t-on dit,
sont toujours (ou ont d'abord été) des journaux de
bord, des fragments détachés de l'interminable journal intime commencé dès l'enfance (comme il le
raconte au chapitre 58).

La structure de ce chapitre 58 manifeste l'origine
mystérieuse de la vocation d'écrivain. Le « cependant,
j'aimais déjà écrire » (p. 202) oppose cette activité
toute personnelle, secrète, à la narration scolaire,
obligatoire. Dès le départ — mais ici il faut faire
attention de ne pas succomber à l'illusion rétrospec-
tive : lorsqu'il écrit ces pages, en 1889, Loti est un
écrivain confirmé ; qui construit sa statue comme il
l'entend — ce journal « enfermé sous clef comme une
œuvre criminelle » présente tous les caractères des
livres qui vont suivre : « J'y inscrivais, moins les
événements de ma petite existence tranquille, que
mes impressions incohérentes, mes tristesses des
soirs, mes regrets des étés passés et mes rêves de
lointains pays... J'avais déjà ce besoin de noter, de
fixer des images fugitives, de lutter contre la fragilité
des choses et de moi-même, qui m'a fait poursuivre
ainsi ce journal jusqu'à ces dernières années... »
Ecrire pour être, pour lutter contre le temps, contre la
dispersion.

Les modèles d'écriture ne seront donc pas à chercher du côté de l'école. C'est au sein de la famille que
Loti rassemble les éléments de ce qui va devenir son
univers. La Bible d'abord, mais aussi les « deux
espèces de sphinx d'Egypte, à l'encre rouge, une étoile
cabalistique » qui ouvrent son journal intime, rappel-
lent ce passage du chapitre 25 : « Je saluai comme
d'anciennes connaissances deux dieux à tête d'épervier
qui étaient là, inscrits de profil sur une pierre de
chaque côté d'un étrange zodiaque. » Les lettres du
frère exercent une « séduction dangereuse sur l'enfant
qu'il avait laissé si attaché au foyer familial, si
tranquille, si religieux », ce frère qui lui donne des

conseils de naturel lorsqu'il commence à écrire[1]. Surtout Loti nous livre, au chapitre 20, une longue page de la main de sa sœur pour raconter les vacances à Oléron après une grave maladie : « Sur un vieux cahier oublié, où ma sœur avait écrit (à ma manière absolument) ses impressions de cet été-là, je trouve ce portrait de notre logis. » Etrange formulation qui semble signifier que Marie écrit comme Julien, ce qui est impossible puisque à l'époque l'enfant n'écrit pas encore. La formule ne trouve de sens que dans le renversement : moi Loti j'écris tout à fait à la manière de ma sœur. Et il ajoute : « mais ici encore, pour que le récit soit plus fidèle, je laisse la parole à ma sœur et, dans le vieux cahier, je copie simplement ». Etrange méthode que ce livre à quatre mains pour quelqu'un qui avait l'intention de « noter des instants qui l'ont frappé », de retrouver dans sa mémoire des « mots assez frais, assez jeunes »...

Or le récit fraternel[2] constitue en fait (mise à part la brève description de la maison) la relation du premier amour de Julien, pour Véronique, fille de pêcheurs, épisode où l'on retrouve les composantes de toutes les grandes histoires d'amour de Loti (Aziyadé, Rarahu, Chrysanthème) : amour sans espoir pour une femme étrangère, d'un milieu social « inférieur », tentative de mariage, séparation, départ. Avec une conclusion que Loti déclare transcrire « textuellement » et qui semble fixer à l'avance la tonalité de l'œuvre à venir (rappelons-le : déjà écrite...) : « Alors je me sentis prise — et non point pour la première fois sans doute — d'une rêverie inquiète en regardant Pierre. Je me demandai : " Que sera-ce de cet enfant ? " ; et Loti commente :

---

1. « Néglige sans crainte les plus belles fleurs de la rhétorique de ton caïman ; écris comme tu penses, aie confiance en tes petits moyens, sois naturel, c'est la meilleure manière de te rapprocher des premières places. » Lettre de Gustave à Julien, citée dans *Prime jeunesse*, p. 55.
2. On trouvera en Annexe 4 le texte de Marie ; et l'on constatera que Loti modifie, peu mais nettement, le texte fraternel.

" Que sera-ce de cet enfant ? " Oh ! mon Dieu, rien autre chose que ce qui en a été en ce jour-là ; dans l'avenir, rien de moins, rien de plus. Ces départs, ces emballages puérils de mille objets sans valeur appréciable, ce besoin de tout emporter, de se faire suivre d'un monde de souvenirs —, et surtout ces adieux à des petites créatures sauvages, aimées peut-être précisément parce qu'elles étaient ainsi —, ça représente toute ma vie, cela... »

D'une dédicace

Amourette d'enfance et petites créatures sauvages : par le biais de l'écriture fraternelle, Loti transgresse la règle qu'il s'était fixée dans la dédicace : « Je l'arrêterai de bonne heure ce livre, afin que l'amour n'y apparaisse qu'à l'état de rêve imprécis. » L'autocensure est un exercice que Loti connaît bien et qu'il a déjà pratiqué, dans les dédicaces de *Mon frère Yves* — « On a dit qu'il y avait toujours dans mes livres trop d'amour troublant. Eh bien, cette fois, il n'y aura qu'un peu d'amour honnête, et seulement vers la fin » — et de *Madame Chrysanthème* : « J'hésitais à vous l'offrir, parce que la donnée n'en est pas bien correcte ; mais j'ai veillé à ce que l'expression ne fût jamais de mauvais aloi, et j'espère y être parvenu. » Au-delà de l'intention affichée, qu'en est-il réellement dans le texte ? Un écrivain peut-il réussir à se mutiler d'une part essentielle de lui-même, à se couper d'un des thèmes majeurs de son œuvre ? L'épisode de Véronique, raconté par et avec la voix de la sœur, ou du moins sa caution, nous montre qu'il n'en est sans doute rien. Nous touchons là à ce qui constitue un des ressorts secrets du *Roman* : sa force vient de ce que Loti y raconte en filigrane, à travers le récit de vocation, une autre histoire, histoire d'amour celle-là, et véritable « roman d'un enfant » : les aventures ne suffisent pas à faire un roman, il y faut aussi de l'amour. Le livre n'est pas réellement ce livre édifiant que Loti prétend écrire « avec des mots assez frais, assez jeunes [...] en y mettant ce qu'il y a eu de meilleur en [lui], à une époque où il n'y avait encore rien de bien mauvais ». L'amour serait-il donc « mauvais » ? Il faut appliquer à l'ensemble du livre ce que Loti dit de certains passages auxquels il feint de ne comprendre rien : « ici les dessous sont encore plus compliqués », « je sens que je vais me perdre là-dedans, sans parvenir à rien exprimer », « il y a là encore des dessous mystérieux » ; mais il dit aussi, pour nous guider : « J'étais épouvanté de mon œuvre, y découvrant des choses que je n'y avais certainement pas mises et qui d'ailleurs devaient m'être à peine connues », « on est conduit, en les regardant, à y ajouter mille choses de soi-même, mille choses sorties des tréfonds insondés et qu'aucun pinceau ne saurait saisir », « avec la certitude d'être compris jusqu'au bout, et compris même au-delà, dans ces dessous profonds que les mots n'expriment pas[1]. ».

Pour tenter de s'y retrouver, il convient, — puisque Loti nous alerte sur la fin de son récit (« Je l'arrêterai de bonne heure... »), — de faire un détour par la structure du livre et de voir quelles solutions l'écrivain apporte aux problèmes de composition qui se posent inévitablement à tous ceux qui entreprennent de raconter leur enfance : par où commencer ? quel ordre suivre ? comment terminer ? Comme la plupart de ses prédécesseurs (Rousseau, Stendhal, etc.), Loti revendique une totale liberté de composition, ou, plutôt, d'absence de composition : « Aussi voudrais-je ne pas écrire cette histoire qui serait fastidieuse, mais seulement noter, sans suite ni transition, des instants qui m'ont frappé. » Ce livre idéal, dont la seule mémoire constituerait le fil conducteur, Loti, en apparence, ne

---

1. R. Barthes, à propos d'*Aziyadé* : « Ce roman est un discours presque immobile, qui pose des sens mais ne les résout pas. » Les citations de Loti : chap. 5 et 9 du *Roman d'un enfant*.

l'écrit pas. Pris d'abord au « piège » du premier
souvenir[1] (le premier serait le plus ancien, celui qui
fonde la conscience de soi), il organise son récit
comme un récit de vie dont on peut rapidement
repérer les étapes ; très vite il déclare : « J'ai cherché à
mettre à peu près par ordre de date ces souvenirs. »
Ordre chronologique, puisque successivement sont
signalés : « second hiver », « 5-6 ans », « vers ma
huitième année », « mes neuf ans révolus », « ma
onzième année environ », « j'avais douze ans »,
« douze ans et demi », « quatorze ans », et le livre se
termine sur : « j'avais alors quatorze ans et demi ». A
ces repères bien visibles s'ajoutent toute une série
d'indications qui, par déduction, permettent au lecteur de situer plus précisément tel ou tel épisode : « en
octobre », « la seconde année de collège »... Ce déroulement régulier est pourtant brouillé, à la fois par tel
aveu d'incertitude — « Je ne sais plus bien à quelle
époque » —, et par d'autres notations, beaucoup plus
fréquentes, de répétitions, d'habitudes (« toute mon
enfance », « tous les jeudis », « le soir »...), qui créent
l'impression d'une vie uniforme, sans événement
marquant, ritualisée, et dans laquelle le passage du
temps importe peu — en contradiction donc avec
l'idée même de roman : bien plus que le récit d'une
vie, on aurait la description sociologique, ethnogra-
phique presque, de la vie quotidienne, des us et
coutumes, d'une famille protestante provinciale
autour des années 1860.

Et surtout, à l'intérieur des blocs qui séparent deux
repères nettement marqués, Loti saute sans cesse d'un
sujet à un autre, ce qui lui permet de retrouver la
liberté et l'absence de composition revendiquées précédemment. Le déroulement chronologique semble
bien une apparence surimposée à une réalité présentée
dans un apparent désordre (QUEL ORDRE SUI-

---

1. Voir mon article « Le mythe du premier souvenir : Pierre
Loti, Michel Leiris », *Revue d'histoire littéraire de la France*, nov.-
déc. 1975.

VRE ?), et qui obéit à de plus secrètes lois que l'on peut tenter de deviner en partie. En s'interrogeant, par exemple, sur une erreur que les biographes ont remarquée sans essayer d'en chercher l'éventuelle signification. Loti, à propos de ses premières vacances dans le Midi, écrit : « j'avais douze ans » : donc 1862. Les biographes rectifient : 1861. Cette erreur serait sans importance si elle ne faisait système avec un autre élément, d'omission celui-ci : l'étrange « oubli » du mariage de Marie, la sœur aînée tendrement aimée, qui date de 1864, avec, précisément, un cousin rencontré durant ces vacances dans le Midi. En se trompant d'une année pour la date des premières vacances, Loti dramatise son récit dans *une* direction bien particulière : celle de la vocation, du choix de la carrière, et passe sous silence ce qui fut pour lui, à l'époque, un événement sans doute bien plus considérable, ce mariage. Conclusion très rapide : chapitre 80 : la lettre au frère (je serai marin); chapitre 81 : « j'arrête là ces notes, j'avais alors quatorze ans et demi » — donc 1864; chapitre 82 : « nous croyions ma sœur et moi revenir encore l'été suivant dans ce village... Mais Azraël passa sur notre route; de terribles choses imprévues bouleversèrent notre tranquille vie de famille. » FIN. Que sont ces choses terribles : morts de Gustave et de Lucette en 1865, ennuis juridiques et financiers du père en 1866 ? En réalité, la lettre au frère est de 1863, et en 1864 le seul événement notable est... le mariage de la sœur. Il y a bien eu trois étés dans le Quercy (1861, 1862, 1863) avec la sœur; en 1864 Julien y revient avec sa mère et sa sœur, mariée maintenant. En modifiant (volontairement ou non, peu importe) les dates, Loti se donne la possibilité d'écrire encore « ma sœur et moi » : le couple n'est pas disjoint, il ne le sera pas à l'intérieur du livre. Le roman d'amour, lui, en apparence se termine bien (COMMENT TERMINER ?).

Pour mieux cerner le rapport de Pierre avec sa sœur, il faut suivre dans le livre un élément difficilement isolable, mais repérable par son insistance, et

que l'on peut nommer le désir de justification. A
plusieurs reprises et sans raisons apparentes (à la
différence de ce que font un Rousseau ou un Gide —
deux autres protestants —, qui affirment d'entrée de
jeu leur culpabilité, pour mieux s'en faire absoudre
par la suite — et l'autobiographie devient tout norma-
lement un plaidoyer *pro domo*), Loti indique les causes
d'une « faute » qui, elle, n'apparaît jamais en tant que
telle (à la fin du chapitre 18 par exemple, au début du
chapitre 31, page 138, 159...). Une faute — ou un
défaut, un excès. Enfant trop choyé, trop entouré,
trop seul, trop rêveur, etc. ; tentatives d'élucidation,
menées *a posteriori* par l'adulte, à la suite de ceux qui,
alors, y voyaient clair parce qu'ils ne faisaient pas
partie du cercle familial : le professeur d'anglais
(« c'était du reste le seul qui vît clair dans la situation », p. 129), le frère lors de son retour (« Il s'en
inquiéta même... il se trouvait en situation de juger
mieux... il comprenait que je devenais d'un raffinement excessif », p. 234).

Loti raconte à la fois une histoire — celle d'une
vocation (la marine) — et son envers (son destin
d'écrivain). Etre écrivain, artiste, c'est être la « victime » (consentante ?) d'un tempérament, d'une éducation, d'une faute donc, que Loti refuse, qu'une part
de lui-même refuse, ou feint de refuser. De même que
le jeune homme petit et chétif s'en va à Joinville en
1875 pour se construire un corps présentable, désirable (un masque qui est en même temps une seconde
nature), de même l'écrivain reconstruit son enfance,
dont il est à la fois fier et honteux. Il sent bien qu'il est
le produit de cette famille et de cette éducation, à
laquelle par son métier et par son mariage (en 1888 il
vient de devenir père à son tour) il paie son tribut.
Mais la gloire, l'argent (avec lequel il a pu racheter la
maison familiale), lui viennent de l'écriture, laquelle
plonge dans une zone mystérieuse qu'il désigne sans
l'éclairer totalement, obscurité éminemment féconde.
Il y a le sentiment de culpabilité de l'enfant qui hésite
à prendre une décision dont il sait que les parents ne la

souhaitent pas ; et, plus diffuse, une autre culpabilité qui vient de ce que Loti, peut-être, n'ose pas, ne peut pas, raconter le vrai roman de cet enfant, amour imaginaire bien évidemment, et qui se termine par la « trahison » de la sœur, elle à qui il rend la parole « fidèlement ».

Amours interdites

Le chapitre 5 est tout entier consacré à la mère : hymne attendu, obligé, de ce type d'ouvrage : mère refuge, mère thaumaturge, mère idole, mère enfin objet et fin du désir (« elle était là, et cela me suffisait »). Avec, au centre (p. 56), un paragraphe plus ambigu, dans lequel, par une série de dénégations, Loti dit-sans-le-dire : ma mère était vieille [1], si je la compare à d'autres. La vraie mère, belle, jeune, c'est bien sûr la Sœur qui fait couple tantôt avec le père (les promenades du chapitre 7), tantôt avec le frère aîné. Aucun schéma stable dans cette famille ; bien plus sûrement les cadres d'une incertitude, d'une inquiétude profonde, devant ces couples qui se font et se défont : le Père et la Mère, le Frère et la Sœur, mais aussi : Le Père et la Sœur, Pierre et la Mère, et enfin : Pierre et la Sœur... Des individus qui ne correspondent pas nécessairement aux fonctions qu'ils sont censés incarner : c'est le frère qui s'inquiète de l'éducation de Pierre, c'est à lui que celui-ci adresse la lettre finale ; c'est la sœur qui emmène Pierre en vacances et lui sert de mère : « ma sœur qui était alors pour moi comme une autre mère » (p. 99). L'hymne à la mère du chapitre 5 ne serait-il pas une manière de compenser ce qui fut ressenti comme un absentéisme maternel ? Déjà dans le premier chapitre, dès le premier souvenir, la première apparition de la mère est une apparition « en creux » : « Et ma mère ?

1. Sa mère a quarante ans à la naissance de Julien. Le père quarante-six.

j'aurais surtout souhaité sa présence à elle ; mais je la savais sortie dehors, dans ces rues longues dont je ne me représentais pas bien les extrémités, les aboutissements lointains. J'avais été moi-même la conduire jusqu'à la porte, en lui demandant : " Tu reviendras, dis ? " » Scène à laquelle fait écho, entre autres, un passage du chapitre 32 : après être sorti dans les rues avec son père « pour voir un peu les mascarades », l'enfant est rentré dans son « musée » d'où il entend, angoissé, les cris des masques, des enfants et des matelots. Loti souligne (est-il bien dupe de cette dénégation ?) : « Je n'avais aucune envie de les suivre, cela va sans dire ; j'en sentais même l'impossibilité avec le dégoût le plus dédaigneux. Et je tenais beaucoup à rester là, ayant à finir de mettre en ordre la *famille* multicolore des *Purpurifères* » (c'est Loti qui souligne cette famille qu'il faut remettre en ordre...) Contre cette angoisse, ou plutôt ce « trouble », dont Loti a indiqué qu'elle venait du fait d'être « enfermé et penché sur des choses arides, bonnes pour des vieillards » —, l'enfant a recours à sa mère qui « consentit tout de suite à venir » : n'est-ce pas déjà un peu la scène du baiser à Combray, et le sentiment de culpabilité de Loti n'annonce-t-il pas celui du narrateur proustien, regrettant la défaite de son père et la faiblesse de sa mère ?

Les êtres se substituent les uns aux autres, et cette famille traditionnelle éclate de toutes parts. Pourquoi le petit garçon va-t-il passer tous ses jeudis chez les D. à la Limoise, alors que Lucette est son « aînée de huit ou neuf ans » — ce qui fait d'elle une autre Sœur : « Un peu plus tard, je l'ai aimée comme une sœur ; puis sa mort prématurée a été un de mes premiers vrais chagrins de petit garçon » (et avant la mort, il y a eu son mariage, autre trahison...) ? Le lecteur a peu à peu l'impression que cet enfant, né bien tard, est de trop, — et qu'on le confie sans cesse aux autres, grand-tantes, voisins, sœur aînée, comme s'il gênait... Un enfant seul au milieu de grandes personnes : Loti accentue d'ailleurs cette solitude en retardant (aux

dépens de l'exactitude des dates) les contacts entre
Pierre et le monde de l'école : il supprime du récit
l'année (1859-1860) qu'il a passée, lui Julien, dans une
institution protestante : là encore dramatisation
« romanesque ».

La première apparition de Lucette — qui, étrangement, précède celles de la mère et de la mer (PAR OU
COMMENCER ?) — doit être lue attentivement.
C'est l'un des chapitres (chap. 3) où Loti accompagne
son récit de précautions embarrassées qui semblent
inviter à une lecture « suspicieuse » : « je sens que je
vais me perdre là-dedans, sans parvenir à rien exprimer... » Le chapitre est ainsi encadré de deux occur-
rences du thème du « resouvenir des choses antérieures à sa naissance », thème cher à Loti, très
irrationnel, thème-écran pour autre chose qui ne peut
se dire. Mais à l'intérieur du cadre, les choses sont très
claires, comme dans un rêve dont on a oublié « le
commencement ». L'enfant est seul, perdu dans le
jardin, parmi les herbes hautes. Une voix l'appelle, le
reconnaît : « Pierre ! Pierre ! mon petit Pierrot ! »,
comme d'une voix maternelle qui viendrait au
secours. Cette voix est celle de Lucette « perchée sur
la fourche d'un arbre tout tordu » (on se rappelle le
texte du Petit Cahier, très comparable) : vue de bas en
haut donc, on comprend mieux les « dessous très
mystérieux » qui font obstacle au récit. Quelle découverte au milieu des « surprises et des mystères de forêt
vierge » ! Quelque chose se fixe ici, mêlé « d'inquiétude charmée » et de « mélancolie rêveuse » — qui se
précise et se redouble dans les deux chapitres qui
suivent : découverte, peur, fascination, tristesse,
angoisse : la sœur (Lucette), la mère, la mer : « Evi-
demment *c'était ça*; pas une minute d'hésitation, ni
même d'étonnement que *ce fût ainsi*, non, rien que de
l'épouvante; je *reconnaissais* et je tremblais. C'était
d'un vert obscur presque noir; ça semblait instable,
perfide, engloutissant. »

Une mère interdite bien sûr, mais une sœur (une
série de sœurs) tout à sa dévotion, jusqu'à la trahison

finale que le texte, on l'a dit, ne racontera pas (dans le Petit Cahier l'adolescent y allait plus carrément qui écrivait : « Mon frère dort maintenant au fond du golfe de Bengale, ma sœur est couchée au cimetière » — ce qui est la meilleure façon de la punir...) Cette trahison qu'il ne peut pas formuler, il l'évoque, me semble-t-il, à travers l'épisode du « papillon citron-aurore ». Ce papillon apparaît au chapitre 48, associé au domaine de Bories (propriété des voisins) et à la chanson du « grand cousin » : « Ah ! ah ! la bonne histoire... » Loti, encore une fois, prend bien soin de justifier auprès du lecteur ces « associations incohérentes d'images ». Cet épisode précède immédiatement l'entrée au collège (chap. 49) : « à partir de cette date fatale, mon histoire se gâte beaucoup ». Je voudrais suggérer que cette date fatale (on a vu plus haut comment Loti s'y était pris, par une série de déplacements chronologiques et de concentrations, pour faire se succéder premières vacances dans le Midi et entrée au collège) c'est, aussi bien, celle de la rencontre de Marie avec Armand, le cousin-chanteur, son futur mari, le rival heureux de l'enfant. Le chapitre 56 réitère, autour du papillon citron-aurore, une tristesse inexplicable. Le dernier chapitre qui voit le retour du « papillon citron-aurore » dit simplement : « Tout était bien changé, l'oncle et la tante dormaient au cimetière, les grands cousins étaient dispersés » : curieuse dispersion... pourquoi ne pas signaler que le grand cousin est devenu son... beau-frère ? Sinon parce qu'il s'est probablement joué là l'épisode le plus douloureux du roman d'amour de Julien, et que Loti ne peut pas l'énoncer en toutes lettres, qu'il ne peut en faire reproche à la « coupable ». Episode où Julien est « quitté », lui qui passera son temps à quitter les objets aimés, d'Aziyadé à Chrysanthème, seule revanche possible — mais bien inefficace — contre la privation absolue. Pourquoi cet abandon ? L'enfant a vécu longtemps dans des paradis terrestres d'avant la faute, jardins abandonnés, nature sauvage, paysages qu'il retrouvera et reconnaîtra au cours de tous ses futurs voyages. Et voici qu'un rival vient lui enlever son Eve. Et voici qu'on l'enferme au collège. L'enfant timide devient un enfant chahuteur, qui ne se soucie nullement d'être un bon élève ; le petit garçon méticuleux se livre à « une chose extrêmement malpropre » (l'omelette aux mouches) : punir l'autre, régresser, redevenir un enfant puisque Marie devient une femme, interdite elle aussi, comme la mère.

Loti, donc, ne cesse de parler d'amour dans ce « roman d'un enfant », le contraire eût été surprenant. Et d'explorer les couloirs obscurs qui relient l'enfant à l'adulte qu'il est devenu (selon la société). En faisant semblant de parler d'autres choses.

L'art de Loti, élaboré dans les livres qui précèdent celui-ci [1], art du non-dit, de la suggestion, de la rupture et de la simple juxtaposition, est particulièrement efficace pour raconter le plus brûlant des romans d'amour, amour nécessairement impossible, bien plus pathétique que son mariage d'opérette avec Madame Chrysanthème par exemple. Plus qu'aux aléas de la mémoire, bien minces chez celui qui avait mis toute son enfance en cartons et en conserves, il convient aux ruses et aux méandres d'un discours qui doit ruser avec les interdictions de la contrainte et des censures inhérentes au sujet abordé comme aux destinataires (la reine de Roumanie, la mère, le public, Loti lui-même : l'œuvre est ce qu'il a écrit « de plus intime », p. 58). Salutaire contrainte d'écriture puisqu'elle l'a forcé à reconstituer, et non à expliquer, la vision de l'enfant.

A suivre

Loti arrête son récit alors que l'enfant a quatorze ans et demi. Mais il n'en a pas fini avec les souvenirs

1. La place nous manque pour étudier comment *Le Roman d'un enfant* s'écrit *avec* les livres précédents — et pas uniquement pour ce qui concerne l'enfance : aspect classique de l'écriture autobiographique.

d'enfance. Dans *Prime jeunesse* (1919), consacré en principe à la période parisienne (période déjà évoquée en quelques lignes au début du chapitre 81 du *Roman d'un enfant*), il commence par revenir sur d'autres aspects de son enfance, mais également il nuance, complète, corrige ce qu'il avait déjà écrit. En particulier, il rétablit une juste chronologie en situant la fin de l'action du *Roman* au « treizième été de sa vie » (et non plus au quatorzième) ; surtout il mentionne enfin les fiançailles de sa sœur (il lui est maintenant plus facile d'en parler puisqu'elle est morte, en 1908 ; le livre est dédié à sa mémoire) : « je me sentis un grand froid au cœur » ; ainsi que le mariage de Lucette, qui « s'était laissé épouser par un officier de marine qui *me* [c'est moi qui souligne] l'avait emmenée à la Guyane, et j'avais connu ainsi le premier véritable chagrin de ma vie ». Il donne une série de précisions qui permettent de mieux apprécier tout ce qu'il y avait de « fictif » dans le livre précédent. Un exemple, celui de Chopin. A son retour de Tahiti (chapitre 74 du *Roman*), Gustave avait jugé Chopin néfaste pour l'équilibre de l'enfant : « Cette musique hallucinée de Chopin que je venais tout récemment de découvrir [...] il comprenait que Chopin et Peau d'Ane m'étaient aussi dangereux l'un que l'autre » (p. 234). Dans *Prime Jeunesse*, Loti écrit : « C'est sur ce piano que je fus, cette année-là, initié à Chopin, et cela me servit à oublier beaucoup les tristesses du collège, des devoirs, des pensums et de l'hiver. » Or « cette année-là » est, dans *Prime Jeunesse*, celle qui suit le retour (et le nouveau départ) de Gustave. La mémoire se plie aux exigences d'une autre vérité, plus intime que celle des calendriers. La correction peut même s'afficher comme telle : « Par une erreur de chronologie, dans *Le Roman d'un enfant*, j'ai dit n'être plus revenu passer mes vacances chez l'oncle du Midi... »

Dans tous ces retours au livre précédent, apparaît comme une menace pour le nouveau récit, Loti ressassant les mêmes éléments : la marchande de

gâteaux, le chat La Suprématie, la maison de l'île, ou
cette réflexion qui reprend presque mot pour mot un
passage du *Roman* (fin du chapitre 7) : « Ce fut sans
doute un des malheurs de ma vie d'avoir été beaucoup
plus jeune que tous les êtres qui m'aimaient et que
j'aimais, d'avoir surgi parmi eux comme une sorte de
petit Benjamin tardif sur lequel devaient converger
fatalement trop de tendresses, — et puis d'être laissé si
affreusement seul pour les suprêmes étapes de la
route ! »

Il ne saurait y avoir, pour Loti, de liquidation
définitive de l'enfance. Il exhume de nouveaux souvenirs, apporte sur les anciens de nouveaux éclairages ou
les redit indéfiniment : entreprise interminable
comme, plus tard, celle de Proust ou, mieux encore,
celle de Leiris. C'est toute sa vie — et donc toute son
œuvre — que Loti installe sous le signe d'une période
qui fut, rétrospectivement, la seule assez remplie
d'espérances pour fonder une vision du monde et une
écriture. On n'en finirait pas de relever ces résur-
gences dans les livres qui succèdent au *Roman d'un
enfant*. Qu'on ouvre, presque au hasard, *Un pèlerin
d'Angkor* (1912) et voici que, parmi les ruines réelles,
surgissent, bien plus vivantes, les images enfantines
de ces mêmes tours auxquelles elles servirent, en un
sens, de modèles[1]. Toute l'œuvre de Loti s'inscrit
alors entre les pages des livres lus, relus et rêvés
pendant l'enfance, jusqu'à l'hallucination. Ces autres
pages que lui-même écrit, c'est moins peut-être pour
fixer une réalité présente toujours fuyante, que pour
prolonger des lignes qui surent arracher un enfant à la
dangereuse protection du cocon familial, et pour, en
même temps, paradoxalement, s'y retrouver encore, à
tout jamais. L'écriture, — ce jeu d'enfant par excellence, continué par un capitaine de vaisseau qui n'a
jamais très bien su faire la différence entre le théâtre et
la vie réelle, qui faisait graver des cartes de visites pour

---

1. Alain Buisine, dans son *Tombeau de Loti*, analyse très bien ce
phénomène.

ses chats et des faire-part pour son propre décès —
totalement fictif —, et qui, toute sa vie, demeura
fasciné par le pouvoir qu'il avait eu, enfant, de faire
surgir des « féeries », avec du carton et avec des
couleurs, avec des mots et avec des rêves.

                                    Bruno VERCIER.

NOTE SUR LE TEXTE

Le texte paraît d'abord dans *La Nouvelle Revue*, en six livraisons : du 15 janvier au 1er avril 1890 avec une erreur dans la numérotation des chapitres.

Le livre est publié en volume en mai 1890 chez Calmann-Lévy, dans la « Bibliothèque contemporaine » (in-18, 314 pages). L'erreur de numérotation est reproduite : le livre a donc 83 chapitres, erreur qui ne sera jamais corrigée chez cet éditeur. C'est le texte de cette première édition que nous reproduisons, avec quelques corrections minimes (coquilles, fautes d'orthographe) et le retour aux 82 chapitres. Nous avons tenu à conserver l'orthographe de l'époque (grand' mère, grand'côte, au delà, Oleron). Les différences entre le texte publié dans *La Nouvelle Revue* et l'édition en volume sont minimes, et relèvent aussi de la coquille typographique.

En 1985, édition illustrée de dessins de Loti, chez Michel de l'Ormeraie.

Il ne nous a pas été possible de localiser de manuscrit du *Roman d'un enfant,* ni à la Bibliothèque nationale, ni chez les héritiers de Loti, ni dans des catalogues de ventes.

Lors de la publication en revue, Loti eut des ennuis avec Barbey, ministre de la Marine, qui le sanctionna pour n'avoir pas demandé l'autorisation de publication nécessaire (dans le cas d'un militaire). Quand le volume paraît chez Calmann-Lévy, Loti est à nouveau obligé de s'expliquer par lettre ; en passant par la voie hiérarchique...

Juin 1890

Commandant,

Vous avez bien voulu ce matin me parler presque officieusement du blâme ministériel ; j'espère donc que vous me permettrez de vous écrire, pour vous donner ici des explications plus précises.

C'est au mois de janvier dernier que j'ai reçu un blâme pour la publication du *Roman d'un enfant* ; au moment où cette œuvre a paru dans la Revue de Mme Edmond Adam. Je n'ai absolument rien écrit depuis, et n'écrirai plus rien sans passer par le ministère.

Les journaux ont recommencé à beaucoup parler de ce même *Roman d'un enfant* depuis une quinzaine de jours, depuis que l'éditeur Calmann Lévy l'a réimprimé en volume. C'est peut-être ce qui aura fait croire à une œuvre nouvelle ; je ne trouve pas d'autre explication que celle-là.

Ce n'est pas [par] indiscipline, du reste, que j'avais publié ce livre sans en demander la permission ; je me fiais à une tolérance qui avait duré plusieurs années et à une autorisation verbale que m'avait donnée un précédent ministre « pour toutes les œuvres purement littéraires ; ne touchant ni à la Marine ni à la politique ».

Je suis, avec respect, commandant,
Votre très obéissant serviteur,
J. Viaud
(lieutenant de vaisseau).

Après son élection à l'Académie française, Loti recevra l'autorisation, *par mesure exceptionnelle*, de publier ses œuvres littéraires sous la réserve expresse qu'elles ne toucheront pas aux questions militaires et maritimes.

(Documents publiés par A. Quella-Villéger dans la *Revue Pierre Loti*, juillet-sept. 1987.)

LE ROMAN
D'UN ENFANT

Décembre 188[1]...

Il se fait presque tard dans ma vie, pour que j'entreprenne ce livre : autour de moi, déjà tombe une sorte de nuit ; où trouverai-je à présent des mots assez frais, des mots assez jeunes ?

Je le commencerai demain en mer ; au moins essaierai-je d'y mettre ce qu'il y a eu de meilleur en moi, à une époque où il n'y avait rien de bien mauvais encore.

Je l'arrêterai de bonne heure, afin que l'amour n'y apparaisse qu'à l'état de rêve imprécis.

Et, à la souveraine de qui me vient l'idée de l'écrire, je l'offrirai comme un humble hommage

de mon respect charmé,
PIERRE LOTI.

I

C'est avec une sorte de crainte que je touche à l'énigme de mes impressions du commencement de la vie, — incertain si bien réellement je les éprouvais moi-même ou si plutôt elles n'étaient pas des ressouvenirs mystérieusement transmis... J'ai comme une hésitation religieuse à sonder cet abîme...

Au sortir de ma nuit première, mon esprit ne s'est pas éclairé progressivement, par lueurs graduées; mais par jets de clartés brusques — qui devaient dilater tout à coup mes yeux d'enfant et m'immobiliser dans des rêveries attentives — puis qui s'éteignaient, me replongeant dans l'inconscience absolue des petits animaux qui viennent de naître, des petites plantes à peine germées.

Au début de l'existence, mon histoire serait simplement celle d'un enfant très choyé, très tenu, très obéissant et toujours convenable dans ses petites manières, auquel rien n'arrivait, dans son étroite sphère ouatée, qui ne fût prévu, et qu'aucun coup n'atteignait qui ne fût amorti avec une sollicitude tendre.

Aussi voudrais-je ne pas écrire cette histoire qui serait fastidieuse; mais seulement noter, sans suite ni transitions, des instants qui m'ont frappé d'une étrange manière, — qui m'ont frappé tellement que je m'en souviens encore avec une netteté complète, aujourd'hui que j'ai oublié déjà tant de choses poignantes, et tant de lieux, tant d'aventures, tant de visages.

J'étais en ce temps-là un peu comme serait une hirondelle, née d'hier, très haut à l'angle d'un toit, qui commencerait à ouvrir de temps à autre au bord du nid son petit œil d'oiseau et s'imaginerait, de là, en regardant simplement une cour ou une rue, voir les profondeurs du monde et de l'espace, — les grandes étendues de l'air que plus tard il lui faudra parcourir. Ainsi, durant ces minutes de clairvoyance, j'apercevais furtivement toutes sortes d'infinis, dont je possédais déjà sans doute, dans ma tête, antérieurement à ma propre existence, les conceptions latentes ; puis, refermant malgré moi l'œil encore trouble de mon esprit, je retombais pour des jours entiers dans ma tranquille nuit initiale.

Au début, ma tête toute neuve et encore obscure pourrait aussi être comparée à un appareil de photographe rempli de glaces sensibilisées. Sur ces plaques vierges, les objets insuffisamment éclairés ne donnent rien ; tandis que, au contraire, quand tombe sur elles une vive clarté quelconque, elles se cernent de larges taches claires, où les choses inconnues du dehors viennent se graver. — Mes premiers souvenirs en effet sont toujours de plein été lumineux, de midis étincelants, — ou bien de feux de branches à grandes flammes roses.

II

Comme si c'était d'hier, je me rappelle le soir où, marchant déjà depuis quelque temps, je découvris tout à coup la vraie manière de sauter et de courir, — et me grisai jusqu'à tomber, de cette chose délicieusement nouvelle.

Ce devait être au commencement de mon second hiver, à l'heure triste où la nuit vient. Dans la salle à manger de ma maison familiale — qui me paraissait alors un lieu immense — j'étais, depuis un moment sans doute, engourdi et tranquille sous l'influence de l'obscurité envahissante. Pas encore de lampe allumée nulle part. Mais, l'heure du dîner approchant, une bonne vint, qui jeta dans la cheminée, pour ranimer les bûches endormies, une brassée de menu bois. Alors ce fut un beau feu clair, subitement une belle flambée joyeuse illuminant tout, et un grand rond lumineux se dessina au milieu de l'appartement, par terre, sur le tapis, sur les pieds des chaises, dans ces régions basses qui étaient précisément les miennes. Et ces flammes dansaient, changeaient, s'enlaçaient, toujours plus hautes et plus gaies, faisant monter et courir le long des murailles les ombres allongées des choses... Oh! alors je me levai tout droit, saisi d'admiration... car je me souviens à présent que j'étais assis, aux pieds de ma grand'tante Berthe[2] (déjà très vieille en ce temps-là), qui sommeillait à demi dans sa chaise, près d'une fenêtre par où filtrait la nuit grise; j'étais assis

sur une de ces hautes chaufferettes d'autrefois, à deux
étages, si commodes pour les tout petits enfants qui
veulent faire les câlins, la tête sur les genoux des
grand'mères ou des grand'tantes... Donc, je me levai,
en extase, et m'approchai de la flamme ; puis, dans le
cercle lumineux qui se dessinait sur le tapis, je me mis
à marcher en rond, à tourner, à tourner toujours plus
vite, et enfin, sentant tout à coup dans mes jambes une
élasticité inconnue, quelque chose comme une détente
de ressorts, j'inventai une manière nouvelle et très
amusante de faire : c'était de repousser le sol bien fort,
puis de le quitter des deux pieds à la fois pendant une
demi-seconde, — et de retomber, — et de profiter de
l'élan pour m'élever encore, et de recommencer
toujours, pouf, pouf, en faisant beaucoup de bruit par
terre, et en sentant dans ma tête un petit vertige
particulier très agréable... De ce moment, je savais
sauter, je savais courir !

J'ai la conviction que c'était bien la première fois,
tant je me rappelle nettement mon amusement
extrême et ma joie étonnée.

— Ah ! mon Dieu, mais qu'est-ce qu'il a ce petit, ce
soir ? disait ma grand'tante Berthe un peu inquiète. Et
j'entends encore le son de sa voix brusque.

Mais je sautais toujours. Comme ces petites
mouches étourdies, grisées de lumière, qui tournoient
le soir autour des lampes, je sautais toujours dans ce
rond lumineux qui s'élargissait, se rétrécissait, se
déformait, dont les contours vacillaient comme les
flammes.

Et tout cela m'est encore si bien présent, que j'ai
gardé dans mes yeux les moindres rayures de ce tapis
sur lequel la scène se passait. Il était d'une certaine
étoffe inusable, tissée dans le pays par les tisserands
campagnards, et aujourd'hui tout à fait démodée,
qu'on appelait « nouïs ». (Notre maison d'alors était
restée telle que ma grand'mère maternelle l'avait
arrangée lorsqu'elle s'était décidée à quitter l'*île* pour
venir se fixer sur le continent. — Je reparlerai un peu
plus tard de cette *île* qui prit bientôt, pour mon

imagination d'enfant, un attrait si mystérieux. —
C'était une maison de province très modeste, où se
sentait l'austérité huguenote, et dont la propreté et
l'ordre irréprochables étaient le seul luxe.)

... Dans le cercle lumineux qui, décidément, se
rétrécissait de plus en plus, je sautais toujours. Mais,
tout en sautant, je *pensais*, et d'une façon intense qui,
certainement, ne m'était pas habituelle. En même
temps que mes petites jambes, mon esprit s'était
éveillé ; une clarté un peu plus vive venait de jaillir
dans ma tête, où l'aube des idées était encore si pâle.
Et c'est sans doute à cet éveil intérieur que ce moment
fugitif de ma vie doit ses dessous insondables ; qu'il
doit surtout la persistance avec laquelle il est resté
dans ma mémoire, gravé ineffaçablement. Mais je vais
m'épuiser en vain à chercher des mots pour dire tout
cela, dont l'indécise profondeur m'échappe... Voici, je
regardais ces chaises, alignées le long des murs, et je
me rappelais les personnes âgées, grand'mères,
grand'tantes et tantes, qui y prenaient place d'habitude, qui tout à l'heure viendraient s'y asseoir...
Pourquoi n'étaient-elles pas là ? En ce moment, j'aurais souhaité leur présence autour de moi comme une
protection. Elles se tenaient sans doute là-haut, au
second étage, dans leurs chambres ; entre elles et moi,
il y avait les escaliers obscurs, les escaliers que je
devinais pleins d'ombre et qui me faisaient frémir...
Et ma mère ? J'aurais surtout souhaité sa présence à
elle ; mais je la savais sortie dehors, dans ces rues
longues dont je ne me représentais pas bien les
extrémités, les aboutissements lointains. J'avais été
moi-même la conduire jusqu'à la porte, en lui demandant : « Tu reviendras, dis ? » Et elle m'avait promis
qu'en effet elle reviendrait. (On m'a conté plus tard
qu'étant tout petit, je ne laissais jamais sortir de la
maison aucune personne de la famille, même pour la
moindre course ou visite, sans m'être assuré que son
intention était bien de revenir. « Tu reviendras, dis ? »
était une question que j'avais coutume de poser
anxieusement après avoir suivi jusqu'à la porte ceux

qui s'en allaient.) Ainsi, ma mère était sortie... cela me
serrait un peu le cœur de la savoir dehors... Les
rues!... J'étais bien content de ne pas y être, moi,
dans les rues, où il faisait froid, où il faisait nuit, où les
petits enfants pouvaient se perdre... Comme on était
bien ici, devant ces flammes qui réchauffaient;
comme on était bien, *dans sa maison!* Peut-être
n'avais-je jamais compris cela comme ce soir; peut-
être était-ce ma première vraie impression d'attachement au foyer — et d'inquiétude triste, à la pensée de
tout l'immense inconnu du dehors. Ce devait être
aussi mon premier instant d'affection consciente pour
ces figures vénérées de tantes et de grand'mères qui
ont entouré mon enfance et que, à cette heure de
vague anxiété crépusculaire, j'aurais désiré avoir
toutes, à leurs places accoutumées, assises en cercle
autour de moi...

Cependant les belles flammes folles dans la cheminée avaient l'air de se mourir : la brassée de menu bois
était consumée et, comme on n'avait pas encore
allumé de lampe, il faisait plus noir. J'étais déjà tombé
une fois, sur le tapis de nouïs, sans me faire de mal, et
j'avais recommencé de plus belle. Par instants,
j'éprouvais une joie étrange à aller jusque dans les
recoins obscurs, où me prenaient je ne sais quelles
frayeurs de choses sans nom; puis à revenir me
réfugier dans le cercle de lumière, en regardant avec
un frisson si rien n'était sorti derrière moi, de ces coins
d'ombre, pour me poursuivre.

Ensuite, les flammes se mourant tout à fait, j'eus
vraiment peur; tante Berthe, trop immobile sur sa
chaise et dont je sentais le regard seul me suivre, ne
me rassurait plus. Les chaises même, les chaises
rangées autour de la salle, commençaient à m'inquiéter, à cause de leurs grandes ombres mouvantes qui,
au gré de la flambée à l'agonie, montaient derrière
elles, exagérant la hauteur des dossiers le long des
murs. Et surtout il y avait une porte, entr'ouverte sur
un vestibule tout noir — lequel donnait sur le grand
salon plus vide et plus noir encore... oh! cette porte,

je la fixais maintenant de mes pleins yeux, et, pour rien au monde, je n'aurais osé lui tourner le dos.

C'était le début de ces terreurs des soirs d'hiver qui, dans cette maison pourtant si aimée, ont beaucoup assombri mon enfance.

Ce que je craignais de voir arriver par là n'avait encore aucune forme précise ; plus tard seulement, mes visions d'enfant prirent figure. Mais la peur n'en était pas moins réelle et m'immobilisait là, les yeux très ouverts, auprès de ce feu qui n'éclairait plus, — quand tout à coup, du côté opposé, par une autre porte, ma mère entra... Oh ! alors je me jetai sur elle ; je me cachai la tête, je m'abîmai dans sa robe : c'était la protection suprême, l'asile où rien n'atteignait plus, le nid des nids où l'on oubliait tout...

Et, à partir de cet instant, le fil de mon souvenir est rompu, je ne retrouve plus rien.

III

Après l'image ineffaçable laissée par cette première frayeur et cette première danse devant une flambée d'hiver, des mois ont dû passer sans que rien se gravât plus dans ma tête. Je retombai dans cette demi-nuit des commencements de la vie que traversaient à peine d'instables et confuses visions, grises ou roses sous des reflets d'aube.

Et je crois que l'impression suivante fut celle-ci, que je vais essayer de traduire : impression d'été, de grand soleil, de nature, et de terreur délicieuse à me trouver seul au milieu de hautes herbes de juin qui dépassaient mon front. Mais ici les dessous sont encore plus compliqués, plus mêlés de choses antérieures à mon existence présente ; je sens que je vais me perdre là dedans, sans parvenir à rien exprimer...

C'était dans un domaine de campagne appelé « la Limoise », qui a joué plus tard un grand rôle dans ma vie d'enfant. Il appartenait à de très anciens amis de ma famille, les D*** [3], qui, en ville, étaient nos voisins, leur maison touchant presque la nôtre. Peut-être, l'été précédent, étais-je déjà venu à cette Limoise, — mais à l'état inconscient de poupée blanche que l'on avait apportée au cou. Ce jour dont je vais parler était certainement le premier où j'y venais comme petit être capable de pensée, de tristesse et de rêve.

J'ai oublié le commencement, le départ, la route en

voiture, l'arrivée. Mais, par un après-midi très chaud, le soleil déjà bas, je me revois et me retrouve si bien, seul au fond du vieux jardin à l'abandon, que des murs gris, rongés de lierre et de lichen, séparaient des bois, des landes à bruyères, des campagnes pierreuses d'alentour. Pour moi, élevé à la ville, ce jardin très grand, qu'on n'entretenait guère et où les arbres fruitiers mouraient de vieillesse, enfermait des surprises et des mystères de forêt vierge. Ayant sans doute franchi les buis de bordure, je m'étais perdu au milieu d'un des grands carrés incultes du fond, parmi je ne sais quelles hautes plantes folles, — des asperges montées, je crois bien, — envahies par de longues herbes sauvages. Puis je m'étais accroupi, à la façon de tous les petits enfants, pour m'enfouir davantage dans tout cela qui me dépassait déjà grandement quand j'étais debout. Et je restais tranquille, les yeux dilatés, l'esprit en éveil, à la fois effrayé et charmé. Ce que j'éprouvais, en présence de ces choses nouvelles, était encore moins de l'étonnement que du ressouvenir ; la splendeur des plantes vertes, qui m'enlaçait de si près, je *savais* qu'elle était partout, jusque dans les profondeurs jamais vues de la campagne ; je la sentais autour de moi, triste et immense, déjà vaguement connue ; elle me faisait peur, mais elle m'attirait cependant, — et, pour rester là le plus longtemps possible sans qu'on vînt me chercher, je me cachais encore davantage, ayant pris sans doute l'expression de figure d'un petit Peau-Rouge dans la joie de ses forêts retrouvées.

Mais tout à coup je m'entendis appeler : « Pierre[4] ! Pierre ! mon petit Pierrot ! » Et sans répondre, je m'aplatis bien vite au ras du sol, sous les herbages et les fines branches fenouillées des asperges.

Encore : « Pierre ! Pierre ! » C'était Lucette ; je reconnaissais bien sa voix, et même, à son petit ton moqueur, je comprenais qu'elle me voyait dans ma cache verte. Mais je ne la voyais point, moi ; j'avais beau regarder de tous les côtés : personne !

Avec des éclats de rire, elle continuait de m'appeler,

en se faisant des voix de plus en plus drôles. Où donc pouvait-elle bien être ?

Ah ! là-bas, en l'air ! perchée sur la fourche d'un arbre tout tordu, qui avait comme des cheveux gris en lichen.

Je me relevai alors, très attrapé d'avoir été ainsi découvert.

Et en me relevant, j'aperçus au loin, par-dessus le fouillis des plantes agrestes, un coin des vieux murs couronnés de lierre qui enfermaient le jardin. (Ils étaient destinés à me devenir très familiers plus tard, ces murs-là ; car, pendant mes jeudis de collège, j'y ai passé bien des heures, perché, observant la campagne pastorale et tranquille, et rêvant, au bruit des sauterelles, à des sites encore plus ensoleillés de pays lointains.) Et ce jour-là, leurs pierres grises, disjointes, mangées de soleil, mouchetées de lichen, me donnèrent pour la première fois de ma vie l'impression mal définie de la *vétusté des choses* ; la vague conception des durées antérieures à moi-même, du temps passé.

Lucette D***, mon aînée de huit ou neuf ans, était déjà presque une grande personne à mes yeux : je ne pouvais pas la connaître depuis bien longtemps, mais je la connaissais depuis tout le temps possible. Un peu plus tard, je l'ai aimée comme une sœur ; puis sa mort prématurée [5] a été un de mes premiers vrais chagrins de petit garçon.

Et c'est le premier souvenir que je retrouve d'elle, son apparition dans les branches d'un vieux poirier. Encore ne s'est-il fixé ainsi qu'à la faveur de ces deux sentiments tout nouveaux auxquels il s'est trouvé mêlé : l'inquiétude charmée devant l'envahissante nature verte et la mélancolie rêveuse en présence des vieux murs, des choses anciennes, du vieux temps...

IV

Je voudrais essayer de dire maintenant l'impression que la mer m'a causée, lors de notre première entrevue, — qui fut un bref et lugubre tête-à-tête.

Par exception, celle-ci est une impression crépusculaire ; on y voyait à peine, et cependant l'image apparue fut si intense qu'elle se grava d'un seul coup pour jamais. Et j'éprouve encore un frisson rétrospectif, dès que je concentre mon esprit sur ce souvenir.

J'étais arrivé le soir, avec mes parents, dans un village de la côte saintongeaise[6], dans une maison de pêcheurs louée pour la saison des bains. Je savais que nous étions venus là pour une chose qui s'appelait la mer, mais je ne l'avais pas encore vue (une ligne de dunes me la cachait, à cause de ma très petite taille) et j'étais dans une extrême impatience de la connaître. Après le dîner donc, à la tombée de la nuit, je m'échappai seul dehors. L'air vif, âpre, sentait je ne sais quoi d'inconnu, et un bruit singulier, à la fois faible et immense, se faisait derrière les petites montagnes de sable auxquelles un sentier conduisait.

Tout m'effrayait, ce bout de sentier inconnu, ce crépuscule tombant d'un ciel couvert, et aussi la solitude de ce coin de village... Cependant, armé d'une de ces grandes résolutions subites, comme les bébés les plus timides en prennent quelquefois, je partis d'un pas ferme...

Puis, tout à coup, je m'arrêtai glacé, frissonnant de

peur. Devant moi, quelque chose apparaissait, quelque chose de sombre et de bruissant qui avait surgi de tous les côtés en même temps et qui semblait ne pas finir ; une étendue en mouvement qui me donnait le vertige mortel... Évidemment *c'était ça* ; pas une minute d'hésitation, ni même d'étonnement *que ce fût ainsi*, non, rien que de l'épouvante ; *je reconnaissais* et je tremblais. C'était d'un vert obscur presque noir ; ça semblait instable, perfide, engloutissant ; ça remuait et ça se démenait partout à la fois, avec un air de méchanceté sinistre. Au-dessus, s'étendait un ciel tout d'une pièce, d'un gris foncé, comme un manteau lourd.

Très loin, très loin seulement, à d'inappréciables profondeurs d'horizon, on apercevait une déchirure, un jour entre le ciel et les eaux, une longue fente vide, d'une claire pâleur jaune...

Pour la *reconnaître* ainsi, la mer, l'avais-je déjà vue ?

Peut-être, inconsciemment, lorsque, vers l'âge de cinq ou six mois, on m'avait emmené dans l'*île*[7], chez une grand'tante, sœur de ma grand'mère. Ou bien avait-elle été si souvent regardée par mes ancêtres marins, que j'étais né ayant déjà dans la tête un reflet confus de son immensité.

Nous restâmes un moment l'un devant l'autre, moi fasciné par elle. Dès cette première entrevue sans doute, j'avais l'insaisissable pressentiment qu'elle finirait un jour par me prendre, malgré toutes mes hésitations, malgré toutes les volontés qui essayeraient de me retenir... Ce que j'éprouvais en sa présence était non seulement de la frayeur, mais surtout une tristesse sans nom, une impression de solitude désolée, d'abandon, d'exil... Et je repartis en courant, la figure très bouleversée, je pense, et les cheveux tourmentés par le vent, avec une hâte extrême d'arriver auprès de ma mère, de l'embrasser, de me serrer contre elle ; de me faire consoler de mille angoisses anticipées, inexpressibles, qui m'avaient étreint le cœur à la vue de ces grandes étendues vertes et profondes.

V

Ma mère !... Déjà deux ou trois fois, dans le cours de ces notes, j'ai prononcé son nom, mais sans m'y arrêter, comme en passant. Il semble qu'au début elle n'ait été pour moi que le refuge naturel, l'asile contre toutes les frayeurs de l'inconnu, contre tous les chagrins noirs qui n'avaient pas de cause définie.

Mais je crois que la plus lointaine fois où son image m'apparaît bien réelle et vivante, dans un rayonnement de vraie et ineffable tendresse, c'est un matin du mois de mai, où elle entra dans ma chambre suivie d'un rayon de soleil et m'apportant un bouquet de jacinthes roses. Je relevais d'une de ces petites maladies d'enfant, — rougeole ou bien coqueluche, je ne sais quoi de ce genre, — on m'avait condamné à rester couché pour avoir bien chaud, et, comme je devinais, à des rayons qui filtraient par mes fenêtres fermées, la splendeur nouvelle du soleil et de l'air, je me trouvais triste entre les rideaux de mon lit blanc ; je voulais me lever, sortir ; je voulais surtout voir ma mère, ma mère à tout prix...

La porte s'ouvrit, et ma mère entra, souriante. Oh ! je la revois si bien encore, telle qu'elle m'apparut là, dans l'embrasure de cette porte, arrivant accompagnée d'un peu du soleil et du grand air du dehors. Je retrouve tout, l'expression de son regard rencontrant le mien, le son de sa voix, même les détails de sa chère toilette, qui paraîtrait si drôle et si surannée aujour-

d'hui. Elle revenait de faire quelque course matinale
en ville. Elle avait un chapeau de paille avec des roses
jaunes et un châle en *barège* lilas (c'était l'époque du
châle) semé de petits bouquets d'un violet plus foncé.
Ses papillotes noires — ses pauvres bien-aimées
papillotes qui n'ont pas changé de forme, mais qui
sont, hélas ! éclaircies et toutes blanches aujourd'hui
— n'étaient alors mêlées d'aucun fil d'argent. Elle
sentait une odeur de soleil et d'été qu'elle avait prise
dehors. Sa figure de ce matin-là, encadrée dans son
chapeau à grand bavolet, est encore absolument
présente à mes yeux.

Avec ce bouquet de jacinthes roses, elle m'apportait
aussi un petit pot à eau et une petite cuvette de
poupée, imités en extrême miniature de ces faïences à
fleurs qu'ont les bonnes gens dans les villages.

Elle se pencha sur mon lit pour m'embrasser, et
alors je n'eus plus envie de rien, ni de pleurer, ni de
me lever, ni de sortir ; elle était là, et cela me suffisait ;
je me sentais entièrement consolé, tranquillisé,
changé, par sa bienfaisante présence...

Je devais avoir un peu plus de trois ans lorsque ceci
se passait, et ma mère, environ quarante-deux[8]. Mais
j'étais sans la moindre notion sur l'âge de ma mère ;
l'idée ne me venait seulement jamais de me demander
si elle était jeune ou vieille ; ce n'est même qu'un peu
plus tard que je me suis aperçu qu'elle était bien jolie.
Non, en ce temps-là, c'était elle, voilà tout ; autant
dire une figure tout à fait unique, que je ne songeais à
comparer à aucune autre, d'où rayonnaient pour moi
la joie, la sécurité, la tendresse, d'où émanait tout ce
qui était bon, y compris la foi naissante et la prière...

Et je voudrais, pour la première apparition de cette
figure bénie dans ce livre de souvenir, la saluer avec
des mots à part, si c'était possible, avec des mots faits
pour elle et comme il n'en existe pas ; des mots qui à
eux seuls feraient couler les larmes bienfaisantes,
auraient je ne sais quelle douceur de consolation et de
pardon ; puis renfermeraient aussi l'espérance obsti-
née, toujours et malgré tout, d'une réunion céleste

sans fin... Car, puisque je touche à ce mystère et à cette inconséquence de mon esprit, je vais dire ici en passant que ma mère est la seule au monde de qui je n'aie pas le sentiment que la mort me séparera pour jamais. Avec d'autres créatures humaines, que j'ai adorées de tout mon cœur, de toute mon âme, j'ai essayé ardemment d'imaginer un *après* quelconque, un *lendemain* quelque part ailleurs, je ne sais quoi d'immatériel ne devant pas finir ; mais non, rien, je n'ai pas pu — et toujours j'ai eu horriblement conscience du néant des néants, de la poussière des poussières. Tandis que, pour ma mère, j'ai presque gardé intactes mes croyances d'autrefois. Il me semble encore que, quand j'aurai fini de jouer en ce monde mon bout de rôle misérable ; fini de courir, par tous les chemins non battus, après l'impossible ; fini d'amuser les gens avec mes fatigues et mes angoisses, j'irai me reposer quelque part où ma mère, qui m'aura devancé, me recevra ; et ce sourire de sereine confiance, qu'elle a maintenant, sera devenu alors un sourire de triomphante certitude. Il est vrai, je ne vois pas bien ce que sera ce lieu vague, qui m'apparaît comme une pâle vision grise, et les mots, si incertains et flottants qu'ils soient, donnent encore une forme trop précise à ces conceptions de rêve. Et même (c'est bien enfantin ce que je vais dire là, je le sais), et même, dans ce lieu, je me représente ma mère ayant conservé scn aspect de la terre, ses chères boucles blanches, et les lignes droites de son joli profil, que les années m'abîment peu à peu, mais que j'admire encore. La pensée que le visage de ma mère pourrait un jour disparaître à mes yeux pour jamais, qu'il ne serait qu'une combinaison d'éléments susceptibles de se désagréger et de se perdre sans retour dans l'abîme universel, cette pensée, non seulement me fait saigner le cœur, mais aussi me révolte, comme inadmissible et monstrueuse. Oh ! non, j'ai le sentiment qu'il y a dans ce visage quelque chose d'à part que la mort ne touchera pas. Et mon amour pour ma mère, qui a été le seul stable des amours de ma vie, est d'ailleurs si affranchi de tout lien matériel, qu'il me donne presque confiance, à lui seul, en une indestructible chose, qui serait l'âme ; et il me rend encore, par instants, une sorte de dernier et inexplicable espoir...

Je ne comprends pas très bien pourquoi cette apparition de ma mère auprès de mon petit lit de malade, ce matin, m'a tant frappé, puisqu'elle était presque constamment avec moi. Il y a là encore des dessous très mystérieux ; c'est comme si, à ce moment particulier, elle m'avait été révélée pour la première fois de ma vie.

Et pourquoi, parmi mes jouets d'enfant conservés, ce pot à eau de poupée a-t-il pris, sans que je le veuille, une valeur privilégiée, une importance de relique ? Tellement qu'il m'est arrivé, au loin, sur mer, à des heures de danger, d'y repenser avec attendrissement et de le revoir, à la place qu'il occupe depuis des années, dans une certaine petite armoire jamais ouverte, parmi d'autres débris ; tellement que, s'il disparaissait, il me manquerait une amulette que rien ne me remplacerait plus.

Et ce pauvre châle de barège lilas, reconnu dernièrement parmi des vieilleries qu'on voulait donner à des mendiantes, pourquoi l'ai-je fait mettre de côté comme un objet précieux ?... Dans sa couleur, aujourd'hui fanée, dans ses petits bouquets rococos d'un dessin indien, je retrouve encore comme une protection bienfaisante et un sourire ; je crois même que j'y retrouve du calme, de la confiance douce, presque de la foi ; il s'en échappe pour moi toute une émanation de ma mère enfin, mêlée peut-être aussi à un regret mélancolique pour ces matins de mai d'autrefois qui étaient plus lumineux que ceux de nos jours...

En vérité, je crains qu'il ne paraisse bien ennuyeux à beaucoup de gens, ce livre — le plus intime d'ailleurs que j'aie jamais écrit.

En le notant, au milieu de ces calmes des veillées qui sont favorables aux souvenirs, j'ai constamment présente à ma pensée l'exquise reine à laquelle j'ai voulu le dédier ; c'est comme une longue lettre que je

lui adresserais, avec la certitude d'être compris jusqu'au bout, et compris même au delà, dans ces
dessous profonds que les mots n'expriment pas.

Peut-être comprendront-ils aussi, mes amis inconnus, qui me suivent avec une bonne sympathie
lointaine. Et du reste tous les hommes qui chérissent
ou qui ont chéri leur mère, ne souriront pas des choses
enfantines que je viens de dire, j'en suis très sûr.

Mais, pour tant d'autres auxquels un pareil amour
est étranger, ce chapitre semblera certainement bien
ridicule.

Ils n'imaginent pas, ceux-ci, en échange de leur
haussement d'épaules, tout le dédain que je leur offre.

VI

Pour en finir avec les images tout à fait confuses des commencements de ma vie, je veux encore parler d'un rayon de soleil — rayon triste cette fois, — qui a laissé en moi-même sa marque ineffaçable et dont le sens ne me sera jamais expliqué.

Au retour du service religieux, un dimanche, ce rayon m'apparut; il entrait dans un escalier de la maison, par une fenêtre entre-bâillée, et s'allongeait d'une certaine manière bizarre sur la blancheur d'un mur.

J'étais revenu du temple seul avec ma mère, et je montais l'escalier en lui donnant la main; la maison pleine de silence avait cette sonorité particulière aux midis très chauds de l'été; ce devait être en août ou en septembre et, suivant l'usage de nos pays, les contre-vents à demi fermés entretenaient une espèce de nuit pendant l'ardeur du soleil.

Dès l'entrée, il me vint une conception déjà mélancolique de ce repos du dimanche qui, dans les campagnes et dans les recoins paisibles des petites villes, est comme un arrêt de la vie. Mais quand j'aperçus ce rayon de soleil plongeant obliquement dans cet escalier par cette fenêtre, ce fut une impression bien autrement poignante de tristesse; quelque chose de tout à fait incompréhensible et de tout à fait nouveau, où entrait peut-être la notion infuse de la brièveté des étés de la vie, de leur fuite rapide, et de l'impassible éternité des soleils... Mais d'autres éléments plus mystérieux s'y mêlaient aussi, qu'il me serait impossible d'indiquer même vaguement.

Je veux seulement ajouter à l'histoire de ce rayon une suite qui pour moi y est intimement liée. Des années et des années passèrent ; devenu homme, ayant vu les deux bouts du monde et couru toutes les aventures, il m'arriva d'habiter, pendant un automne et un hiver, une maison isolée au fond d'un faubourg de Stamboul[9]. Là, sur le mur de mon escalier, chaque soir à la même heure, un rayon de soleil, arrivé par une fenêtre, glissait en biais ; il éclairait une sorte de niche qui était creusée dans la pierre et où j'avais posé une amphore d'Athènes. Eh bien, jamais je n'ai pu voir descendre ce rayon sans repenser à l'autre, celui de ce dimanche d'autrefois, et sans éprouver la même, précisément la *même* impression triste, à peine atténuée par le temps et toujours aussi pleine de mystère. Puis, quand le moment vint où il me fallut quitter la Turquie, quitter ce petit logis dangereux de Stamboul que j'avais adoré, à tous les déchirements du départ se mêla par instants cet étrange regret : jamais plus je ne reverrai le soleil oblique de l'escalier descendre sur la niche du mur et sur l'amphore grecque...

Évidemment, dans les dessous de tout cela il doit y avoir, sinon des ressouvenirs de préexistences personnelles, au moins des reflets incohérents de pensées d'ancêtres, toutes choses que je suis incapable de dégager mieux de leur nuit et de leur poussière... D'ailleurs je ne sais plus, je ne vois plus ; me voici de nouveau entré dans le domaine du rêve qui s'efface, de la fumée qui fuit, de l'insaisissable rien...

Et tout ce chapitre, presque inintelligible, n'a d'autre excuse que d'avoir été écrit avec un grand effort de sincérité, d'être absolument vrai.

VII

Au printemps, à la toute fraîche splendeur de mai, sur un chemin solitaire appelé : la route des Fontaines...

(J'ai cherché à mettre à peu près par ordre de date ces souvenirs ; je pense que je pouvais avoir cinq ans lorsque ceci se passait.)

Donc, assez grand déjà pour me promener avec mon père et ma sœur, j'étais là, un matin de rosée, extasié de voir tout devenu si vert, de voir si promptement les feuilles élargies, les buissons touffus ; sur les bords du chemin, les herbes montées toutes ensemble, comme un immense bouquet sorti en même temps de toute la terre, étaient fleuries d'un délicieux mélange de géraniums roses et de véroniques bleues ; et j'en ramassais, j'en ramassais de ces fleurs, ne sachant auxquelles courir, piétinant dessus, me mouillant les jambes de rosée, émerveillé de tant de richesses à ma discrétion, voulant prendre à pleines mains et tout emporter. Ma sœur, qui déjà tenait une gerbe d'aubépines, d'iris, de longues graminées comme des aigrettes, se penchait vers moi, me tirant par la main, disant : « Allons, c'est assez, à présent ; nous ne pourrons jamais tout cueillir, tu vois bien. » Mais je n'écoutais pas, absolument grisé par la magnificence de tout cela, ne me rappelant pas avoir jamais vu rien de pareil.

C'était le commencement de ces promenades avec

mon père et ma sœur qui, pendant longtemps (jusqu'à l'époque maussade des cahiers, des leçons, des devoirs) se firent presque chaque jour, tellement que je connus de très bonne heure les chemins des environs et les variétés des fleurs qu'on y pouvait moissonner.

Pauvres campagnes de mon pays, monotones mais que j'aime quand même ; monotones, unies, pareilles ; prairies de foins et de marguerites où, en ces temps-là, je disparaissais, enfoui sous les tiges vertes ; champs de blé, avec des sentiers bordés d'aubépines... Du côté de l'ouest, au bout des lointains, je cherchais des yeux la mer qui, parfois, quand on était allé très loin, montrait au-dessus de ces lignes déjà si planes, une autre petite raie bleuâtre plus complètement droite, — et attirante, attirante à la longue comme un grand aimant patient, sûr de sa puissance et pouvant attendre.

Ma sœur, et mon frère dont je n'ai pas parlé encore [10], étaient de bien des années mes aînés, de sorte qu'il semblait, alors surtout, que je fusse d'une génération suivante.

Donc, ils étaient pour me gâter, en plus de mon père et de ma mère, de mes grand'mères, de mes tantes et grand'tantes. Et, seul enfant au milieu d'eux tous, je poussais comme un petit arbuste trop soigné en serre, trop garanti, trop ignorant des halliers et des ronces...

VIII

On a avancé que les gens doués pour bien peindre (avec des couleurs ou avec des mots) sont probablement des espèces de demi-aveugles, qui vivent d'habitude dans une pénombre, dans un brouillard lunaire, le regard tourné en dedans, et qui alors, quand par hasard ils voient, sont impressionnés dix fois plus vivement que les autres hommes.

Cela me semble un peu paradoxal.

Mais il est certain que la pénombre dispose à mieux voir ; comme dans les panoramas, par exemple, cette obscurité des vestibules qui prépare si bien au grand trompe-l'œil final.

Au cours de ma vie, j'aurais donc été moins impressionné sans doute par la fantasmagorie changeante du monde, si je n'avais commencé l'étape dans un milieu presque incolore, dans le coin le plus tranquille de la plus ordinaire des petites villes : recevant une éducation austèrement religieuse ; bornant mes plus grands voyages à ces bois de la Limoise, qui me semblaient profonds comme les forêts primitives, ou bien à ces plages de l' « île » qui me mettaient un peu d'immensité dans les yeux lors de mes visites à mes vieilles tantes de Saint-Pierre-d'Oleron.

C'était surtout dans la cour de notre maison que se passait le plus clair de mes étés ; il me semblait que ce fût là mon principal domaine, et je l'adorais...

Bien jolie, il est vrai, cette cour ; plus ensoleillée et

aérée, et fleurie que la plupart des jardins de ville. Sorte de longue avenue de branches vertes et de fleurs, bordée au midi par de vieux petits murs bas d'où retombaient des rosiers, des chèvrefeuilles, et que dépassaient des têtes d'arbres fruitiers du voisinage. Longue avenue très fleurie donnant des illusions de profondeur, elle s'en allait en perspective fuyante, sous des berceaux de vigne et de jasmin, jusqu'à un recoin qui s'élargissait comme un grand salon de verdure, — puis elle finissait à un chai, de construction très ancienne, dont les pierres grises disparaissaient sous des treilles et du lierre.

Oh! que je l'ai aimée, cette cour, et que je l'aime encore!

Les plus pénétrants premiers souvenirs que j'en aie gardés, sont, je crois, ceux des belles soirées longues de l'été. — Oh! revenir de la promenade, le soir, à ces crépuscules chauds et limpides qui étaient certainement bien plus délicieux alors qu'aujourd'hui; rentrer dans cette cour, que les daturas, les chèvrefeuilles remplissaient des plus suaves odeurs, et, en arrivant, apercevoir dès la porte toute cette longue enfilade de branches retombantes!... Par-dessous un premier berceau, de jasmin de la Virginie, une trouée dans la verdure laissait paraître un coin encore lumineux du rouge couchant. Et, tout au fond, parmi les masses déjà assombries des feuillages, on distinguait trois ou quatre personnes bien tranquillement assises sur des chaises; — des personnes en robe noire, il est vrai, et immobiles — mais très rassurantes quand même, très connues, très aimées : mère, grand'mère et tantes. Alors je prenais ma course pour aller me jeter sur leurs genoux, — et c'était un des instants les plus amusants de ma journée.

IX

... Deux enfants, deux tout petits, assis bien près l'un de l'autre, sur des tabourets bas, dans une grande chambre qui s'emplissait d'ombre à l'approche d'un crépuscule de mars. Deux tout petits de cinq à six ans, en pantalons courts, blouses et tabliers blancs par-dessus, à la mode de ce temps-là; bien tranquilles, après avoir fait le diable, s'amusant dans un coin avec des crayons et des bouts de papier, — l'esprit inquiété d'une vague crainte cependant, à cause de la lumière mourante.

Des deux bébés, un seul dessinait, c'était moi[11]. L'autre — un ami invité pour la journée par exception — regardait faire, du plus près qu'il pouvait. Avec difficulté, mais en confiance cependant, il suivait les fantaisies de mon crayon, que je prenais soin de lui expliquer à mesure. Et, de fait, les explications devaient être nécessaires, car j'exécutais deux compositions de sentiment que j'intitulais, l'une, le *Canard heureux*; l'autre, le *Canard malheureux*.

La chambre où cela se passait avait dû être meublée vers 1805, quand s'était mariée la pauvre très vieille grand'mère qui l'habitait encore et qui, ce soir-là, assise dans son fauteuil de forme Directoire, chantait toute seule sans prendre garde à nous.

C'est confusément que je m'en souviens de cette grand'mère, car sa mort est survenue peu après ce jour. Et comme je ne rencontrerai même plus guère son image vivante dans le cours de ces notes, je vais ouvrir ici une parenthèse pour elle.

Il paraît que jadis, au milieu de toutes sortes d'épreuves, elle avait été une vaillante et admirable mère. Après des revers comme on en éprouvait en ces temps-là, ayant perdu son mari tout jeune à la bataille de Trafalgar, et ensuite son fils aîné au naufrage de la *Méduse*[12], elle s'était mise résolument à travailler pour élever son second fils — mon père — jusqu'au moment où, lui, avait pu en échange l'entourer de soins et de bien-être. Vers ses quatre-vingts ans (qui n'étaient pas loin de sonner quand je vins au monde) l'enfance sénile avait tout à coup terrassé son intelligence ; je ne l'ai donc guère connue qu'ainsi, les idées perdues, l'âme absente. Elle s'arrêtait longuement devant certaine glace, pour causer, sur le ton le plus aimable, avec son propre reflet qu'elle appelait « ma bonne voisine », ou « mon cher voisin ». Mais sa folie consistait surtout à chanter avec une exaltation excessive, la *Marseillaise*, la *Parisienne*, le *Chant du Départ*, tous les grands hymnes de transition qui, au temps de sa jeunesse, avaient passionné la France ; cependant elle avait été très calme, à ces époques agitées, ne s'occupant que de son intérieur et de son fils, — et on trouvait d'autant plus singulier cet écho tardif des grandes tourmentes d'alors, éveillé au fond de sa tête à l'heure où s'accomplissait pour elle le noir mystère de la désorganisation finale. Je m'amusais beaucoup à l'écouter ; souvent j'en riais, — bien que sans moquerie irrévérencieuse, — et jamais elle ne me faisait peur, parce qu'elle était restée absolument jolie : des traits fins et réguliers, le regard bien doux, de magnifiques cheveux à peine blancs, et, aux joues, ces délicates couleurs de rose séchée que les vieillards de sa génération avaient souvent le privilège de conserver. Je ne sais quoi de modeste, de discret, de candidement honnête était dans toute sa petite personne encore gracieuse, que je revois le plus souvent enveloppée d'un châle de cachemire rouge et coiffée d'un bonnet de l'ancien temps à grandes coques de ruban vert.

Sa chambre, où j'aimais venir jouer parce qu'il y avait de l'espace et qu'il y faisait soleil toute l'année, était d'une simplicité de presbytère campagnard : des meubles du Directoire en noyer ciré, le grand lit drapé d'une épaisse cotonnade rouge ; des murs peints à l'ocre jaune, auxquels étaient accrochées, dans des cadres d'or terni, des aquarelles représentant des vases et des bouquets. De très bonne heure, je me rendais compte de tout ce que cette chambre avait d'humble et d'ancien dans son arrangement ; je me disais même que la bonne vieille aïeule aux chansons devait être beaucoup moins riche que mon autre grand'mère, plus jeune d'une vingtaine d'années et toujours vêtue de noir, qui m'imposait bien davantage...

A présent, je reviens à mes deux compositions au crayon, les premières assurément que j'aie jamais jetées sur le papier : ces deux canards, occupant des situations sociales si différentes.

Pour le *Canard heureux* j'avais représenté, dans le fond du tableau, une maisonnette et, près de l'animal lui-même, une grosse bonne femme qui l'appelait pour lui donner à manger.

Le *Canard malheureux*, au contraire, nageait seul, abandonné sur une sorte de mer brumeuse que figuraient deux ou trois traits parallèles, et, dans le lointain, on apercevait les contours d'un morne rivage. Le papier mince, feuillet arraché à quelque livre, était imprimé au revers, et les lettres, les lignes transparaissaient en taches grisâtres qui subitement produisirent à mes yeux l'impression des nuages du ciel ; alors ce petit dessin, plus informe qu'un barbouillage d'écolier sur un mur de classe, se compléta étrangement de ces taches du fond, prit tout à coup pour moi une effrayante profondeur ; le crépuscule aidant, il s'agrandit comme une vision, se creusa au loin comme les surfaces pâles de la mer. J'étais épouvanté de mon œuvre, y découvrant des choses que je n'y avais certainement pas mises et qui d'ailleurs devaient m'être à peine connues. — « Oh ! disais-je avec exaltation, la voix toute changée, à mon petit camarade qui ne comprenait pas du tout ; oh ! vois-tu... je ne peux pas le regarder ! » Je le cachais sous mes doigts, ce dessin, mais j'y revenais toujours. Et le regardais si attentivement au contraire, qu'aujourd'hui, après tant d'années, je le revois encore tel qu'il m'apparut là, transfiguré : une lueur traînait sur l'horizon de cette mer si gauchement esquissée, le reste du ciel était chargé de pluie, et cela me semblait être un soir d'hiver par grand vent ; le canard malheureux, seul, loin de sa famille et de ses amis, se dirigeait (sans doute pour s'y abriter pendant la nuit) vers ce rivage brumeux là-bas, sur lequel pesait la plus désolée tristesse... Et certainement, pendant une minute furtive, j'eus la prescience complète de ces serrements de cœur que je devais connaître plus tard au cours de ma vie de marin, lorsque, par les mauvais temps de décembre, mon bateau entrerait le soir, pour s'abriter jusqu'au lendemain, dans quelque baie inhabitée de la côte bretonne, ou bien et surtout, aux crépuscules de l'hiver austral, vers les parages de Magellan [13], quand nous viendrions chercher un peu de protection pour la nuit auprès de ces terres perdues qui sont là-bas, aussi inhospitalières, aussi infiniment désertes que les eaux d'alentour...

Quand l'espèce de vision fut partie, dans la grande chambre nue et envahie d'ombre où ma grand'mère chantait, je me retrouvai, comme devant, un tout petit être n'ayant encore rien vu du vaste monde, ayant peur sans savoir de quoi, et ne comprenant même plus bien comment l'envie de pleurer lui était venue.

Depuis, j'ai souvent remarqué du reste que des barbouillages rudimentaires tracés par des enfants, des tableaux aux couleurs fausses et froides, peuvent impressionner beaucoup plus que d'habiles ou géniales peintures, par cela précisément qu'ils sont incomplets et qu'on est conduit, en les regardant, à y ajouter mille choses de soi-même, mille choses sorties des tréfonds insondés et qu'aucun pinceau ne saurait saisir.

X

Au-dessus de chez la pauvre vieille grand'mère qui chantait la *Marseillaise*, au second étage, dans la partie de notre maison qui donnait sur des cours et des jardins, habitait ma grand'tante Berthe. De ses fenêtres, par-dessus quelques maisons et quelques murs bas garnis de rosiers ou de jasmins, on apercevait les remparts de la ville, assez voisins de nous avec leurs arbres centenaires et, au delà, un peu de ces grandes plaines de notre pays, qu'on appelle des *prées*, qui l'été se couvrent de hauts herbages, et qui sont unies, monotones comme la mer voisine.

De là-haut, on voyait aussi la rivière. Aux heures de la marée, quand elle était pleine jusqu'au bord, elle apparaissait comme un bout de lacet argenté dans la prée verte, et les bateaux, grands ou petits, passaient dans le lointain sur ce mince filet d'eau, remontant vers le port ou se dirigeant vers le large. C'était du reste notre seule échappée de vue sur la vraie campagne; aussi ces fenêtres de ma grand'tante Berthe avaient-elles pris, de très bonne heure, un attrait particulier pour moi. Surtout le soir, à l'heure où se couchait le soleil, dont on voyait de là si bien le disque rouge s'abîmer mystérieusement derrière les prairies... Oh! ces couchers de soleil, regardés des fenêtres de tante Berthe, quelles extases et quelles mélancolies quelquefois ils me laissaient, les couchers de l'hiver qui étaient d'un rose pâle à travers les vitres fermées, ou les couchers de l'été, ceux des soirs d'orage, qui étaient chauds et splendides et qu'on pouvait contempler longuement, en ouvrant tout, en respirant la senteur des jasmins des murs... Non, bien certainement, il n'y a plus aujourd'hui des couchers de soleils comme ceux-là... Quand ils s'annonçaient plus spécialement magnifiques ou extraordinaires, et que je n'y étais pas, tante Berthe, qui n'en manquait pas un, m'appelait en hâte : « Petit !... petit !... viens vite ! » D'un bout à l'autre de la maison, j'entendais cet appel et je comprenais ; alors je montais quatre à quatre, comme un petit ouragan dans les escaliers ; je montais d'autant plus vite, que ces escaliers commençaient à se remplir d'ombre et que déjà, dans les tournants, dans les coins s'esquissaient ces formes imaginaires de revenants ou de bêtes qui, la nuit, manquaient rarement de courir après moi sur les marches, à ma grande terreur...

La chambre de ma grand'tante Berthe était également très modeste, avec des rideaux de mousseline blanche. Les murs, tapissés d'un papier à vieux dessins du commencement de ce siècle, étaient ornés d'aquarelles, comme chez grand'mère d'en bas. Mais ce que je regardais surtout, c'était un pastel représentant, d'après Raphaël, une Vierge drapée de blanc, de bleu et de rose. Précisément les derniers rayons du soleil l'éclairaient toujours en plein (et j'ai déjà dit que l'heure du couchant était par excellence l'heure de cette chambre-là). Or, cette Vierge ressemblait à tante Berthe ; malgré la grande différence des âges, on était frappé de la similitude des lignes si droites et si régulières de leurs deux profils.

A ce même second étage, mais du côté de la rue, habitaient mon autre grand'mère, celle qui s'habillait toujours de noir, et sa fille, ma tante Claire, la personne de la maison qui me gâtait le plus. L'hiver, j'avais coutume de me rendre chez elles, en sortant de chez tante Berthe, après le soleil couché. Dans la chambre de grand'mère, où je les trouvais générale-ment toutes deux réunies, je m'asseyais près du feu,

sur une chaise d'enfant placée là à mon usage, pour
passer l'heure toujours un peu pénible, un peu
angoissante du « chien et loup ». Après tous les
remuements, tous les sauts de la journée, cette heure
grise m'immobilisait presque toujours sur cette même
petite chaise, les yeux très ouverts, inquiets, guettant
les moindres changements dans la forme des ombres,
surtout du côté de la porte, entre-bâillée sur l'escalier
obscur. Évidemment, si on avait su quelles tristesses
et quelles frayeurs les crépuscules me causaient, on
eût allumé bien vite pour me les éviter ; mais on ne le
comprenait pas, et les personnes, presque toutes
âgées, qui m'entouraient, avaient coutume, quand le
jour baissait, de rester ainsi longtemps tranquilles à
leurs places, sans éprouver le besoin d'une lampe.
Quand la nuit s'épaississait davantage, il fallait même
que l'une des deux, grand'mère ou tante, avançât sa
chaise tout près, tout près, et que je sentisse sa
protection immédiatement derrière moi ; alors,
complètement rassuré, je disais : « Raconte-moi des
histoires de l'*île*, à présent !... »

L' « île », c'est-à-dire l'île d'Oleron, était le pays de
ma mère, et le leur, qu'elles avaient quitté toutes les
trois, une vingtaine d'années avant ma naissance, pour
venir s'établir ici sur le continent. Et c'est singulier le
charme qu'avaient pour moi cette île et les moindres
choses qui en venaient.

Nous n'en étions pas très loin, puisque, de certaine
lucarne du toit de notre maison, on l'apercevait par les
temps clairs, tout au bout, tout au bout des grandes
plaines unies : une petite ligne bleuâtre, au-dessus de
cette autre mince ligne plus pâle qui était le bras de
l'Océan la séparant de nous. Mais pour s'y rendre,
c'était tout un voyage, à cause des mauvaises voitures
campagnardes, des barques à voiles dans lesquelles il
fallait passer, souvent par grande brise d'ouest. A
cette époque, dans la petite ville de Saint-Pierre-
d'Oleron, j'avais trois vieilles tantes, qui vivaient très
modestement des revenus de leurs marais salants, —
débris de fortunes dissipées, — et de redevances

annuelles que des paysans leur payaient encore en sacs
de blé. Quand on allait les voir à Saint-Pierre, c'était pour
moi une joie, mêlée de toutes sortes de sentiments compliqués, encore à l'état d'ébauche, que je ne débrouil-
lais pas bien. L'impression dominante, c'était que
leurs personnes, l'austérité huguenote de leurs allures,
leur manière de vivre, leur maison, leurs meubles, tout
enfin datait d'une époque passée, d'un siècle antérieur ;
et puis il y avait la mer, qu'on devinait tout autour, nous
isolant ; la campagne encore plus plate, plus battue par
le vent ; les grands sables, les grandes plages...

Ma bonne était aussi de Saint-Pierre-d'Oleron,
d'une famille huguenote dévouée de père en fils à la
nôtre, et elle avait une manière de dire « dans l'île »
qui me faisait passer, dans un frisson, toute sa
nostalgie de là-bas.

Une foule de petits objets venus de l' « île » et très
particuliers avaient pris place chez nous. D'abord ces
énormes galets noirs, pareils à des boulets de canon,
choisis entre mille parmi ceux de la *grand'côte* [14], polis
et roulés pendant des siècles sur les plages. Ils faisaient
partie du petit train régulier de nos soirées d'hiver ;
aux veillées, on les mettait dans les cheminées où
flambaient de beaux feux de bois ; ensuite on les
enfermait dans des sacs d'indienne à fleurs, également
venus de l'île, et on les portait dans les lits, où,
jusqu'au matin, ils tenaient chauds les pieds des
personnes couchées.

Et puis, dans le chai, il y avait des fourches, des
jarres ; il y avait surtout une quantité de grandes
gaules droites, en ormeau, pour tendre les lessives, qui
étaient de jeunes arbres choisis et coupés dans les bois
de grand'mère. Toutes ces choses jouissaient à mes
yeux d'un rare prestige.

Ces bois, je savais que grand'mère ne les possédait
plus, ni ses marais salants, ni ses vignes ; j'avais
entendu qu'elle s'était décidée à les vendre peu à peu,
pour placer l'argent sur le continent, et qu'un certain
notaire peu délicat avait, par de mauvais placements,
réduit à très peu de chose cet avoir. Quand j'allais

dans l'île, quand d'anciens sauniers, d'anciens vigne-
rons de ma famille, toujours fidèles et soumis, m'appelaient « notre petit bourgeois » (ce qui signifie notre
petit maître), c'était donc par pure politesse et défé-
rence de souvenir. Mais j'avais déjà un regret de tout
cela ; cette vie passée à surveiller des vendanges ou des
moissons, qui avait été la vie de plusieurs de mes
ascendants, me semblait bien plus désirable que la
mienne, si enfermée dans une maison de ville.

Les histoires de l'île, que me contaient grand'mère
et tante Claire, étaient surtout des aventures de leur
enfance, et cette enfance me paraissait lointaine,
lointaine, perdue dans des époques que je ne pouvais
me représenter qu'à demi éclairées comme les rêves ;
des grands-parents y étaient toujours mêlés, des
grands-oncles jamais connus, morts depuis bien des
années, dont je me faisais dire les noms et dont les
aspects m'intriguaient, me plongeaient dans des rêveries sans fin. Il y avait surtout un certain aïeul Samuel,
qui avait vécu au temps des persécutions religieuses [15]
et auquel je portais un intérêt tout à fait spécial.

Je ne tenais pas à ce que ce fût varié, ces histoires ;
souvent même j'en faisais recommencer de déjà racon-
tées qui m'avaient plus particulièrement captivé.

En général, c'étaient des voyages (sur ces petits ânes
qui jouaient un rôle si important jadis dans la vie des
bonnes gens de l'île), pour aller visiter des propriétés
éloignées, des vignes, ou bien pour traverser les sables
de la « grand'côte » ; ensuite, sur le soir de ces
expéditions, se déchaînaient des orages terribles, qui
obligeaient à camper pour la nuit dans des auberges,
dans des fermes...

Et quand mon imagination était bien tendue vers
ces choses d'autrefois, dans l'obscurité tout à fait
épaissie dont je n'avais plus conscience : drelin,
drelin, la sonnette du dîner !... Je me levais en sautant
de joie. Nous descendions ensemble, dans la salle à
manger, où je retrouvais toute la famille réunie, la
lumière, la gaieté, et où je me jetais tout d'abord sur
maman pour me cacher la figure dans sa robe.

XI

Gaspard, un petit chien courtaud, lourd, pas bien de sa personne, mais qui était tout en deux grands yeux pleins de vie et bonne amitié. Je ne sais plus comment il avait été recueilli chez nous, où il passa quelques mois et où je l'aimai tendrement.

Or, un soir, pendant une promenade d'hiver, Gaspard m'avait quitté. On me consola en me disant qu'il rentrerait certainement seul, et je revins à la maison assez courageusement. Mais quand la nuit commença de tomber, mon cœur se serra beaucoup.

Mes parents avaient à dîner ce jour-là un violoniste de talent et on m'avait permis de veiller plus tard pour l'entendre. Aux premiers coups de son archet, dès qu'il commença de faire gémir je ne sais quel adagio désolé, ce fut pour moi comme une évocation de routes noires dans les bois, de grande nuit où l'on se sent abandonné et perdu ; puis je vis très nettement Gaspard errer sous la pluie, à un carrefour sinistre, et, ne se reconnaissant plus, partir dans une direction inconnue pour ne revenir jamais... Alors les larmes me vinrent, et comme on ne s'en apercevait point, le violon continua de lancer dans le silence ses appels tristes, auxquels répondaient, du fond des abîmes d'en dessous, des visions qui n'avaient plus de forme, plus de nom, plus de sens.

Ce fut ma première initiation à la musique, évocatrice d'ombres. Des années se passèrent ensuite avant

que j'y comprisse de nouveau quelque chose, car les
petits morceaux de piano, « remarquables pour mon
âge », disait-on, que je commençais à jouer moi-
même, n'étaient encore rien qu'un bruit doux et
rythmé à mes oreilles.

XII

Ceci maintenant est une angoisse causée par une lecture qu'on m'avait faite. (Je ne lisais jamais moi-même et dédaignais beaucoup les livres [16].)

Un petit garçon très coupable, ayant quitté sa famille et son pays, revenait visiter seul la maison paternelle, après quelques années pendant lesquelles ses parents et sa sœur étaient morts. Cela se passait en novembre, naturellement, et l'auteur décrivait le ciel gris, parlait du vent qui secouait les dernières feuilles des arbres.

Dans le jardin abandonné, sous un berceau aux branches dégarnies, l'enfant prodigue, en se baissant vers la terre mouillée, reconnut parmi toutes ces feuilles d'automne, une perle bleue qui était restée à cette place depuis le temps où il venait s'amuser là, avec sa sœur...

Oh! alors je me levai, demandant qu'on cessât de lire, sentant les sanglots qui me venaient... J'avais vu, absolument vu, ce jardin solitaire, ce vieux berceau dépouillé, et, à moitié cachée sous ces feuilles rousses, cette perle bleue, souvenir d'une sœur morte... Tout cela me faisait mal, affreusement, me donnait la conception de la fin languissante des existences et des choses, de l'immense effeuillement de tout...

Il est étrange que mon enfance si tendrement choyée m'ait surtout laissé des images tristes.

Évidemment, ces tristesses étaient les très rares

exceptions, et je vivais d'ordinaire dans l'insouciance gaie de tous les enfants ; mais sans doute, les jours de complète gaieté, précisément parce qu'ils étaient habituels, ne marquaient rien dans ma tête, et je ne les retrouve plus.

J'ai aussi beaucoup de souvenirs d'été, qui sont tous les mêmes, qui font comme des taches claires de soleil sur la confusion des choses entassées dans ma tête.

Et toujours, la grande chaleur, les très profonds ciels bleus, les étincellements de nos plages de sable, la réverbération de la lumière sur les chaux blanches des maisonnettes dans nos petits villages de « l'île », me causaient ces impressions de mélancolie et de sommeil que j'ai retrouvées ensuite, avec une intensité plus grande, dans les pays d'Islam...

XIII

« Or, à minuit, il se fit un cri, disant : « Voici,
« l'Époux vient, sortez au-devant de lui. » Et les vierges
qui étaient prêtes entrèrent avec lui aux noces; puis la
porte fut fermée. Après cela, les vierges folles vinrent
aussi et dirent : « Seigneur, Seigneur, ouvre-nous! »
Mais il leur répondit : « En vérité, je vous dis que je ne
vous connais point! »

« Veillez donc, car vous ne savez ni le jour ni l'heure en
laquelle le Fils de l'Homme viendra... [17] *»*

Après ces versets, lus à haute voix, mon père ferma
la Bible; il se fit un mouvement de chaises dans le
salon, où nous étions tous assemblés, y compris les
domestiques, et chacun se mit à genoux pour la prière.
Suivant l'usage des anciennes familles protestantes,
c'était ainsi tous les soirs, — avant le moment où l'on
se séparait pour la nuit.

« Puis la porte fut fermée... » Agenouillé, je n'écoutais plus la prière, car les vierges folles m'apparaissaient... Elles étaient vêtues de voiles blancs, qui
flottaient pendant leur course angoissée, et elles
tenaient à la main des petites lampes aux flammes
vacillantes, — qui tout aussitôt s'éteignirent, les
laissant à jamais dans les ténèbres du dehors, devant
cette porte fermée, fermée irrévocablement pour
l'éternité!... Ainsi, un moment pouvait donc venir où
il serait trop tard pour supplier, où le Seigneur, lassé
de nos péchés, ne nous écouterait plus!... Je n'avais

encore jamais pensé que cela fût possible. Et une
crainte, sombre et profonde, que rien dans ma foi de
petit enfant n'avait pu me causer jusqu'à ce jour, me
prit tout entier, en présence de l'irrémissible damna-
tion...

· ·

Longtemps, pendant des semaines et pendant des
mois, la parabole des vierges folles hanta mon sommeil. Et chaque soir, dès que l'obscurité tombait, je
repassais en moi ces paroles, à la fois douces et
effroyables : « Veillez donc, car vous ne savez ni le
jour ni l'heure en laquelle le Fils de l'Homme
viendra. » — S'il venait cette nuit, pensais-je ; si
j'allais être réveillé par *les eaux faisant grand bruit,* par
la trompette de l'ange sonnant dans l'air l'immense
épouvante de la fin du monde... Et je ne m'endormais
pas sans avoir longuement fait ma prière et demandé
grâce au Seigneur.

Je ne crois pas, du reste, que jamais petit être ait eu
une conscience plus timorée que la mienne ; à propos
de tout, c'étaient des excès de scrupules, qui, souvent
incompris de ceux qui m'aimaient le plus, me rendaient le cœur très gros. Ainsi, je me rappelle avoir été
tourmenté pendant des journées entières par la seule
inquiétude d'avoir dit quelque chose, d'avoir fait un
récit qui ne fût pas rigoureusement exact. A tel point
que presque toujours, quand j'avais fini de raconter ou
d'affirmer, on m'entendait balbutier à voix basse, du
ton de quelqu'un qui marmotte sur un rosaire, cette
même phrase invariable : « Après tout, je ne sais
peut-être pas très bien comment ça s'est passé. »
C'est encore arvec une sorte d'oppression rétros-
pective que je songe à ces mille petits remords
et craintes du péché, qui, de ma sixième à ma huitième année, ont jeté du froid, de l'ombre sur mon
enfance.

A cette époque, si l'on me demandait ce que je
voulais être dans l'avenir, sans hésiter je répondais :
« Je serai pasteur », — et ma vocation religieuse
semblait tout à fait grande. Autour de moi, on souriait

à cela, et sans doute on trouvait, puisque je le désirais, que c'était bien.

Le soir, la nuit surtout, je songeais constamment à cet *après*, qui se nommait de ce nom déjà plein de terreurs : l'éternité. Et mon départ de ce monde, — de ce monde à peine vu pourtant, et rien que dans un de ses petits recoins les plus incolores, — me paraissait une chose très prochaine. Avec un mélange d'impatience et d'effroi mortel, je me représentais, pour bientôt, une vie en resplendissante robe blanche, à la grande lumière radieuse, assis avec des multitudes d'anges et d'élus, autour du « trône de l'Agneau », en un cercle immense et instable qui oscillerait lentement, continuellement, à donner le vertige, au son des musiques, dans le vide infini du ciel...

XIV

« Une fois, une petite fille... en ouvrant un fruit des colonies très gros... il en était sorti une bête, une bête verte... qui l'avait piquée... et puis ça l'avait fait mourir. »

C'est ma petite amie Antoinette (six ans et moi sept) qui me raconte cette histoire, à propos d'un abricot que nous venons d'ouvrir pour le partager. Nous sommes au fond de son jardin, au beau mois de juin, sous un abricotier touffu, assis à nous toucher sur le même tabouret, dans une maison grande comme une ruche d'abeilles que, pour notre usage personnel, nous avons construite nous-mêmes avec de vieilles planches, et couverte avec des nattes exotiques ayant jadis emballé du café des Antilles. A travers notre toit en grossier tissu de paille, des petits rayons de soleil tombent sur nous ; ils dansent sur nos tabliers blancs, sur nos figures, — à cause des feuilles de l'arbre voisin qu'une brise chaude remue. (Pendant deux étés pour le moins, ce fut notre amusement préféré, de bâtir ainsi des maisons de Robinson dans des coins qui nous paraissaient solitaires, et de nous y asseoir, bien cachés, pour faire nos causeries.) Dans l'histoire de la petite fille *piquée par une bête*, ce passage à lui seul m'avait subitement jeté dans une rêverie : « ... un fruit des colonies très gros ». Et une apparition m'était venue d'arbres, de fruits étranges, de forêts peuplées d'oiseaux merveilleux.

Oh ! ce qu'il avait de troublant et de magique, dans mon enfance, ce simple mot : « les colonies », qui, en ce temps-là, désignait pour moi l'ensemble des lointains pays chauds, avec leurs palmiers, leurs grandes fleurs, leurs nègres, leurs bêtes, leurs aventures. De la confusion que je faisais de ces choses, se dégageait un sentiment d'ensemble absolument juste, une intuition de leur morne splendeur et de leur amollissante mélancolie.

Je crois que le palmier me fut *rappelé* pour la première fois par une gravure des *Jeunes Naturalistes*, de madame Ulliac-Trémadeure[18], un de mes livres d'étrennes dont je me faisais lire des passages le soir. (Les palmiers de serre n'étaient pas encore venus dans notre petite ville, en ce temps-là.) Le dessinateur avait représenté deux de ces arbres inconnus au bord d'une plage sur laquelle des nègres passaient. Dernièrement, j'ai eu la curiosité de revoir cette image initiatrice dans le pauvre livre jauni, piqué par l'humidité des hivers, et vraiment je me suis demandé comment elle aurait pu faire naître le moindre rêve en moi, si ma petite âme n'eût été pétrie de ressouvenirs...

Oh ! « les colonies » ! Comment dire tout ce qui cherchait à s'éveiller dans ma tête, au seul appel de ce mot ! Un fruit des colonies, un oiseau de là-bas, un coquillage, devenaient pour moi tout de suite des objets presque enchantés.

Il y avait une quantité de choses des colonies chez cette petite Antoinette : un perroquet, des oiseaux de toutes couleurs dans une volière, des collections de coquilles et d'insectes. Dans les tiroirs de sa maman, j'avais vu de bizarres colliers de graines pour parfumer ; dans ses greniers, où quelquefois nous allions fureter ensemble, on trouvait des peaux de bêtes, des sacs singuliers, des caisses sur lesquelles se lisaient encore des adresses de villes des Antilles ; et une vague senteur exotique persistait dans sa maison entière.

Son jardin, comme je l'ai dit, n'était séparé de nous que par des murs très bas, tapissés de rosiers, de jasmins. Et un grenadier de chez elle, grand arbre centenaire, nous envoyait ses branches, semait dans notre cour, à la saison, ses pétales de corail.

Souvent nous causions, à la cantonade, d'une maison à l'autre :

— Est-ce que je peux venir m'amuser, dis ? Ta maman veut-elle ?

— Non, parce que j'ai été méchante, je suis en pénitence. (Ça lui arrivait souvent.)

Alors je me sentais très déçu ; mais moins encore à cause d'elle, je dois l'avouer, qu'à cause du perroquet et des choses exotiques.

Elle-même y était née, aux colonies, cette petite Antoinette, et, — comme c'était curieux ! — elle n'avait pas l'air de comprendre le prix de cela, elle n'en était pas charmée, elle s'en souvenait à peine... Moi qui aurais donné tout au monde pour avoir eu, une seule fois, dans les yeux, un reflet, même furtif de ces contrées si éloignées, — si inaccessibles, je le sentais bien...

Avec un regret presque angoissant, avec un regret d'ouistiti en cage, je songeais hélas ! que, dans ma vie de pasteur, si longue que je pusse la supposer, je ne les verrais jamais, jamais...

XV

Je vais dire le jeu qui nous amusa le plus, Antoinette et moi, pendant ces deux mêmes délicieux étés.

Voici : au début, on était des chenilles ; on se traînait par terre, péniblement, sur le ventre et sur les genoux, cherchant des feuilles pour manger. Puis bientôt on se figurait qu'un invincible sommeil vous engourdissait les sens et on allait se coucher dans quelque recoin sous des branches, la tête recouverte de son tablier blanc : on était devenu des cocons, des chrysalides.

Cet état durait plus ou moins longtemps et nous entrions si bien dans notre rôle d'insecte en métamorphose, qu'une oreille indiscrète eût pu saisir des phrases de ce genre, échangées entre nous sur un ton de conviction complète :

— Penses-tu que tu t'envoleras bientôt ?

— Oh ! je sens que ça ne sera pas long cette fois ; dans mes épaules, déjà... ça se déplie... (Ça, naturellement, c'était les ailes.)

Enfin on se réveillait ; on s'étirait, en prenant des poses et sans plus rien se dire, comme pénétré du grand phénomène de la transformation finale...

Puis, tout à coup, on commençait des courses folles, — très légères, en petits souliers minces toujours ; à deux mains on tenait les coins de son tablier de bébé, qu'on agitait tout le temps en manière d'ailes ; on courait, on courait, se poursuivant, se fuyant, se croisant en courbes brusques et fantasques ; on allait sentir de près toutes les fleurs, imitant le continuel empressement des phalènes ; et on imitait leur bourdonnement aussi, en faisant : « Hou ou ou !... » la bouche à demi fermée et les joues bien gonflées d'air...

XVI

Les papillons, ces pauvres papillons de plus en plus démodés de nos jours, ont joué un rôle de longue haleine dans ma vie d'enfant, je suis confus de l'avouer ; et, avec eux, les mouches, les scarabées, les demoiselles, toutes les bestioles des fleurs et de l'herbe. Bien que cela me fît de la peine de les tuer, j'en composais des collections, et on me voyait constamment la papillonnette [19] en main. Ceux qui volaient dans ma cour, à part quelques égarés venus de la campagne, n'étaient pas très beaux, il est vrai ; mais j'avais le jardin et les bois de la Limoise qui, tout l'été, constituaient pour moi des territoires de chasse pleins de surprises et de merveilles.

Pourtant les caricatures de Töpffer sur ce sujet me donnaient à réfléchir, et quand Lucette, me rencontrant avec quelque papillon au chapeau, m'appelait de son air incomparablement narquois : « Monsieur Cryptogame [20] », cela m'humiliait beaucoup.

XVII

La pauvre vieille grand'mère aux chansons allait mourir.

Nous étions auprès de son lit, tous, à la tombée d'un jour de printemps. Il y avait à peine quarante-huit heures qu'elle était alitée, mais, à cause de son grand âge, le médecin avait déclaré que c'était pour elle la fin très prochaine.

Son intelligence venait tout à coup de s'éclaircir; elle ne se trompait plus dans nos noms; elle nous appelait, nous retenait près d'elle d'une voix douce et posée — sa voix de jadis, probablement, — que je ne lui avais jamais connue.

Debout à côté de mon père, je promenais mes yeux sur l'aïeule mourante et sur sa modeste grande chambre aux meubles anciens. Je regardais surtout ces tableaux des murs, représentant des fleurs dans des vases.

Oh! ces aquarelles qui étaient chez grand'mère, pauvres petites choses naïves! Elles portaient toutes cette dédicace: « Bouquet à ma mère », et au-dessous, une respectueuse poésie à elle dédiée, un quatrain, qu'à présent je savais lire et comprendre. Et c'étaient des œuvres d'enfance ou de première jeunesse de mon père, qui, à chaque anniversaire de fête, embellissait ainsi l'humble logis d'un tableau nouveau. Pauvres petites choses naïves, comme elles témoignaient bien de cette vie si modeste d'alors et de

cette sainte intimité du fils avec la mère, — au vieux
temps, après les grandes épreuves, au lendemain des
terribles guerres[21], des corsaires anglais et des « brû-
lots »... Pour la première fois peut-être je songeais que
grand'mère avait été jeune ; que sans doute, avant ce
trouble survenu dans sa tête, mon père l'avait chérie
comme moi je chérissais maman, et que son chagrin de
la perdre allait être extrême ; j'avais pitié de lui et je
me sentais plein de remords pour avoir ri des chansons, pour avoir ri des causeries avec l'image de
miroir...

On m'envoya en bas. Sous différents prétextes, on
me tint constamment éloigné pendant la fin de la
journée sans que je comprisse pourquoi ; puis on me
conduisit chez nos amis, les D***, pour dîner avec
Lucette.

Mais quand je fus ramené par ma bonne, vers huit
heures et demie, je voulus monter tout droit chez
grand'mère.

Dès l'abord, je fus frappé de l'ordre parfait qui était
rétabli dans les choses, de l'air de paix profonde que
cette chambre avait pris... Dans la pénombre du fond,
mon père était assis immobile, au chevet du lit, dont
les rideaux ouverts se drapaient correctement et, sur
l'oreiller, bien au milieu, j'apercevais la tête de ma
grand'mère endormie ; sa pose avait je ne sais quoi de
trop régulier, — de définitif pour ainsi dire, d'éternel.

A l'entrée, presque à la porte, ma mère et ma sœur
travaillaient de chaque côté d'une chiffonnière, à la
place qu'elles avaient adoptée pour veiller, depuis que
grand'mère était malade. Sitôt que j'avais paru, elles
m'avaient fait signe de la main : « Doucement, doucement ; pas de bruit, elle dort. » L'abat-jour de leur
lampe projetait la lumière plus vive sur leur ouvrage,
qui était un fouillis de petits carrés de soie, verts,
bruns, jaunes, gris et où je reconnaissais des morceaux
de leurs anciennes robes ou de leurs anciens rubans de
chapeaux.

Dans le premier moment, je crus que c'étaient des
objets qu'il était d'usage de préparer ainsi pour les

personnes mourantes ; mais, comme je questionnais tout bas, un peu inquiet, elles m'expliquèrent : c'était simplement des sachets qu'elles taillaient et qu'elles allaient coudre, pour une vente de charité.

Je leur dis qu'avant de me coucher je voulais m'approcher de grand'mère, pour essayer de lui souhaiter le bonsoir, et elles me laissèrent faire quelques pas vers le lit ; mais, comme j'arrivais au milieu de la chambre, se ravisant subitement après un coup d'œil échangé :

— Non, non, dirent-elles à voix toujours basse, reviens, tu pourrais la déranger.

Du reste, je venais de m'arrêter de moi-même, saisi et glacé : j'avais compris...

Malgré l'effroi qui me clouait sur place, je m'étonnais que grand'mère fût si peu désagréable à regarder ; n'ayant encore jamais vu de morts, je m'étais imaginé jusqu'à ce jour que, l'âme étant partie, ils devaient faire tous, dès la première minute, un grimacement décharné, inexpressif, comme les têtes de squelettes. Et au contraire, elle avait un sourire infiniment tranquille et doux ; elle était jolie toujours, et comme rajeunie, en pleine paix...

Alors passa en moi une de ces tristes petites lueurs d'éclair, qui traversent quelquefois la tête des enfants, comme pour leur permettre d'interroger d'un furtif coup d'œil des abîmes entrevus, et je me fis cette réflexion : Comment grand'mère pourrait-elle être au ciel, comment comprendre ce dédoublement-là, puisque ce qui reste pour être enterré est tellement elle-même, et conserve, hélas ! jusqu'à *son expression* ?...

Après, je me retirai sans questionner personne, le cœur serré et l'âme désorientée, n'osant pas demander la confirmation de ce que j'avais deviné si bien, et préférant ne pas entendre prononcer le mot qui me faisait peur . . . .
. . . .

Longtemps, les petits sachets en soie restèrent liés pour moi à l'idée de la mort...

XVIII

Je retrouve dans ma mémoire les impressions encore pénibles, angoissantes presque si j'y concentre mon esprit, d'une maladie assez grave que je fis vers ma huitième année. Cela s'appelait la fièvre scarlatine, m'avait-on dit, et ce nom lui-même me semblait avoir une physionomie diabolique.

C'était à l'époque âpre et mauvaise des giboulées de mars, et, chaque soir, quand la nuit tombait, si par hasard ma mère n'était pas là, bien près, une détresse me prenait au fond de l'âme. (Encore cette oppression des crépuscules, que les animaux, ou les êtres compliqués comme je suis, éprouvent à un degré presque égal.) Mes rideaux ouverts laissaient voir, au premier plan, toujours la même petite table attristante, avec des tasses de tisane, des fioles de remèdes. Et tandis que je regardais cet attirail de malade, — qui s'assombrissait, devenait plus vague, se déformait sur le fond obscurci de la chambre silencieuse, — c'était dans ma tête un défilé d'images dépareillées, morbides, inquiétantes...

Deux soirs successifs, je fus visité, entre chien et loup, dans mon demi-assoupissement de fièvre, par des personnages différents qui me causèrent une extrême terreur.

D'abord, une vieille dame, bossue et très laide, d'une laideur doucereuse, qui s'approcha de moi sans faire de bruit, sans que j'aie entendu la porte s'ouvrir, sans que j'aie vu les personnes qui me veillaient se lever pour la recevoir. Elle s'éloigna tout aussitôt, avant de m'avoir seulement parlé ; mais, en se retournant, elle me présenta sa bosse : or cette bosse était percée à la pointe, et il en sortait la figure verte d'une perruche, que la dame avait dans le corps et qui me dit : « Coucou ! » d'une petite voix de guignol en sourdine lointaine, puis qui rentra dans le vieux dos affreux... Oh ! quand j'entendis ce « Coucou ! » une sueur froide me perla au front ; mais tout venait de s'évanouir et je compris moi-même que c'était un rêve.

Le lendemain parut un monsieur, long et mince, en robe noire comme un prêtre. Il ne s'approcha pas de moi, celui-là ; mais il se mit à tourner autour de ma chambre, en rasant les murs, très vite et sans bruit, son corps tout penché en avant ; ses vilaines jambes, comme des bâtons, faisant raidir sa soutane pendant sa course empressée. Et — comble de terreur — il avait pour tête un crâne blanc d'oiseau à long bec — qui était l'agrandissement monstrueux d'un crâne de mouette blanchi à la mer, ramassé par moi l'été précédent sur une plage de l'île... (Je crois que la visite de ce monsieur coïncida avec le jour où je fus le plus malade, presque un peu en danger.) Après un tour ou deux exécutés dans le même empressement et le même silence, il commença de s'élever de terre... Il courait maintenant sur les cimaises, en jouant toujours de ses jambes maigres, — puis plus haut encore, sur les tableaux, sur les glaces, — jusqu'à se perdre dans le plafond déjà envahi par la nuit...

Eh bien, pendant deux ou trois années, l'image de ces visiteurs devait me poursuivre. Les soirs d'hiver, je repensais à eux avec crainte, en montant les escaliers qu'on n'avait pas encore l'habitude d'éclairer à cette époque. S'ils étaient là, pourtant, me disais-je ; derrière des portes sournoisement entrebâillées, s'ils me guettaient l'un ou l'autre pour me courir après ; si j'allais les voir paraître derrière moi, allongeant les mains de marche en marche, pour m'attraper les jambes...

Et vraiment je ne suis pas bien sûr que, dans ces mêmes escaliers, en y mettant un peu de bonne volonté, je n'arriverais pas à m'en inquiéter encore aujourd'hui, de ce monsieur et de cette dame; ils ont été si longtemps à la tête de toutes mes frayeurs d'enfant, si longtemps ils ont mené le cortège de mes visions et de mes mauvais rêves!...

Bien d'autres apparitions sombres ont hanté les premières années de ma vie, si exceptionnellement douces pourtant. Et bien des rêveries sinistres me sont venues, les soirs : impressions de nuit sans lendemain, d'avenir fermé; pensées de prochaine mort. Trop tenu, trop choyé, avec un certain surchauffage intellectuel, j'avais ainsi des étiolements, des amollissements subits de plante enfermée. Il m'aurait fallu autour de moi des petits camarades de mon âge, des petites brutes écervelées et tapageuses, — et au lieu de cela, je ne jouais quelquefois qu'avec des petites filles; — toujours correct, soigné, frisé au fer, ayant des mines de petit marquis du XVIIIe siècle.

. . . .

XIX

Après cette fièvre si longue, au nom si méchant, je me rappelle délicieusement le jour où l'on me permit enfin de prendre l'air dehors, de descendre dans ma cour. C'était en avril, et on avait choisi pour cette première sortie une journée radieuse, un ciel rare. Sous les berceaux de jasmins et de chèvrefeuilles, j'éprouvai des impressions d'enchantement paradisiaque, d'Éden. Tout avait poussé et fleuri ; à mon insu, pendant que j'étais cloîtré, la merveilleuse mise en scène du renouveau s'était déployée sur la terre. Elle ne m'avait pas encore leurré bien des fois cette fantasmagorie éternelle, qui berce les hommes depuis tant de siècles et dont les vieillards seuls peut-être ne savent plus jouir. Et je m'y laissais prendre tout entier, moi, avec une ivresse infinie... Oh ! cet air pur, tiède, suave ; cette lumière, ce soleil ; ce beau vert des plantes nouvelles, cet épaississement des feuilles donnant partout de l'ombre toute neuve. Et en moi-même, ces forces qui revenaient, cette joie de respirer, ce profond élan de la vie recommencée.

Mon frère était alors un grand garçon de vingt et un ans, qui avait carte blanche dans la maison pour ses entreprises. Tout le temps de ma maladie, je m'étais préoccupé d'une chose qu'il arrangeait dans la cour et que je mourais d'envie de voir. C'était au fond, dans un recoin charmant, sous un vieux prunier, un lac en miniature ; il l'avait fait creuser et cimenter comme une citerne ; ensuite, de la campagne, il avait fait apporter des pierres rongées et des plaques de mousse pour composer des rivages romantiques alentour, des rochers et des grottes.

Et tout était achevé, ce jour-là ; on y avait déjà mis les poissons rouges ; le jet d'eau jouait même, pour la première fois, en mon honneur...

Je m'approchai avec ravissement ; cela dépassait encore tout ce que mon imagination avait pu concevoir de plus délicieux. Et quand mon frère me dit que c'était pour moi, qu'il me le donnait, j'éprouvai une joie intime qui me sembla ne devoir finir jamais. Oh ! la possession de tout cela, quel bonheur inattendu ! En jouir tous les jours, tous les jours, pendant ces beaux mois chauds qui allaient venir !... Et recommencer à vivre dehors, à s'amuser comme l'été dernier, dans tous les recoins de cette cour ainsi embellie...

Je restai longtemps là, au bord de ce bassin, ne me lassant pas de regarder, d'admirer, de respirer l'air tiède de ce printemps, de me griser de cette lumière oubliée, de ce soleil retrouvé, — tandis que, au-dessus de ma tête, le vieil arbre, le vieux prunier, planté jadis par quelque ancêtre et déjà un peu à bout de sève, tendait sur le bleu du ciel le rideau ajouré de ses nouvelles feuilles, — et que le jet d'eau continuait son grésillement léger, à l'ombre, comme une petite musique de vielle fêtant mon retour à la vie...

Aujourd'hui, ce pauvre prunier, après avoir langui de vieillesse, a fini par mourir, et son tronc seul encore debout, conservé par respect, est coiffé, comme une ruine, d'une touffe de lierre.

Mais le bassin, avec ses rives et ses îlots, est demeuré intact ; le temps n'a pu que lui donner un air de parfaite vraisemblance, ses pierres verdies jouent la vétusté extrême ; les vraies mousses d'eau, les petites plantes délicates des sources s'y sont acclimatées, avec des joncs, des iris sauvages, — et les libellules égarées en ville viennent s'y réfugier. C'est un tout petit coin de nature agreste qui est installé là et qu'on ne trouble jamais.

C'est aussi le coin du monde auquel je reste le plus
fidèlement attaché, après en avoir aimé tant d'autres ;
comme nulle part ailleurs, je m'y sens en paix, je m'y
sens rafraîchi, retrempé de prime jeunesse et de vie
neuve. C'est ma sainte Mecque, à moi, ce petit coin-
là ; tellement que, si on me le dérangeait, il me semble
que cela déséquilibrerait quelque chose dans ma vie,
que je perdrais pied, que ce serait presque le commencement de ma fin.

La consécration définitive de ce lieu lui est venue, je
crois, de mon métier de mer ; de mes lointains
voyages, de mes longs exils, pendant lesquels j'y ai
repensé et l'ai revu avec amour.

Il y a surtout l'une de ces grottes en miniature à
laquelle je tiens d'une façon particulière : elle m'a
souvent préoccupé, à des heures d'affaissement et de
mélancolie, au cours de mes campagnes... Après que
le souffle d'Azraël eut passé cruellement sur nous, après
nos revers de toute sorte [22], pendant tant d'années
tristes où j'ai vécu errant par le monde, où ma mère
veuve et ma tante Claire sont restées seules à promener
leurs pareilles robes noires dans cette chère maison
presque vide et devenue silencieuse comme un tombeau, — pendant ces années-là, je me suis plus d'une
fois senti serrer le cœur à la pensée que le foyer
déserté, que les choses familières à mon enfance se
délabraient sans doute à l'abandon ; et je me suis
inquiété par-dessus tout de savoir si la main du temps,
si la pluie des hivers, n'allaient pas me détruire la
voûte frêle de cette grotte ; c'est étrange à dire, mais
s'il y avait eu éboulement de ces vieux petits rochers
moussus, j'aurais éprouvé presque l'impression d'une
lézarde irréparable dans ma propre vie.

A côté de ce bassin, un vieux mur grisâtre fait, lui
aussi, partie intégrante de ce que j'ai appelé ma sainte
Mecque ; il en est, je crois, le cœur même. J'en
connais du reste les moindres détails : les imperceptibles lichens qui y poussent, les trous que le temps y a
creusés et où des araignées habitent ; — c'est qu'un
berceau de lierre et de chèvrefeuille y est adossé, à

l'ombre duquel je m'installais jadis pour faire mes devoirs, aux plus beaux jours des étés, et alors, pendant mes flâneries d'écolier peu studieux, ses pierres grises occupaient toute mon attention, avec leur infiniment petit monde d'insectes et de mousses. Non seulement je l'aime et le vénère, ce vieux mur, comme les Arabes leur plus sainte mosquée ; mais il me semble même qu'il me protège ; qu'il assure un peu mon existence et prolonge ma jeunesse. Je ne souffrirais pas qu'on m'y fît le moindre changement, et, si on me le démolissait, je sentirais comme l'effondrement d'un point d'appui que rien ne me revaudrait plus. C'est, sans doute, parce que la persistance de certaines choses, de tout temps connues, arrive à nous leurrer sur notre propre stabilité, sur notre propre durée ; en les voyant demeurer les mêmes, il nous semble que nous ne pouvons pas changer ni cesser d'être. — Je ne trouve pas d'autre explication à cette sorte de sentiment presque fétichiste.

Et quand je songe pourtant, mon Dieu, que ces pierres-là sont quelconques, en somme, et sortent je ne sais d'où ; qu'elles ont été assemblées, comme celles de n'importe quel mur, par les premiers ouvriers venus, un siècle peut-être avant qu'il fût question de ma naissance, — alors je sens combien est enfantine cette illusion que je me fais malgré moi d'une protection venant d'elles ; je comprends sur quelle instable base, composée de rien, je me figure asseoir ma vie...

Les hommes qui n'ont pas eu de maison paternelle, qui, tout petits, ont été promenés de place en place dans des gîtes de louage, ne peuvent évidemment rien comprendre à ces vagues sentiments-là.

Mais, parmi ceux qui ont conservé leur foyer familial, il en est beaucoup, j'en suis sûr, qui, sans se l'avouer, sans s'en rendre compte, éprouvent à des degrés différents des impressions de ce genre : en imagination, ils étayent comme moi leur propre fragilité sur la durée relative d'un vieux mur de jardin aimé depuis l'enfance, d'une vieille terrasse toujours connue, d'un vieil arbre qui n'a pas changé de forme...

Et peut-être, hélas! avant eux, les mêmes choses avaient déjà prêté leur même protection illusoire à d'autres, à des inconnus maintenant retournés à la poussière, qui n'étaient seulement pas de leur sang, pas de leur famille.

XX

C'est après cette grande maladie, vers le milieu de l'été, que se place mon plus long séjour dans l'*île*. On m'y avait envoyé avec mon frère, et avec ma sœur qui était alors pour moi comme une autre mère. Après un arrêt de quelques jours chez nos parentes de Saint-Pierre-d'Oleron (ma grand'tante Claire et les deux vieilles demoiselles ses filles), nous étions allés demeurer tous trois seuls à la *grand'côte*, dans un village de pêcheurs absolument ignoré et perdu en ce temps-là.

La *grand'côte* ou la *côte sauvage* est toute cette partie de l'île qui regarde le large, les infinis de l'Océan ; partie sans cesse battue par les vents d'ouest. Ses plages s'étendent sans aucune courbure, droites, infinies, et les brisants de la mer, arrêtés par rien, aussi majestueux qu'à la côte saharienne, y déroulent, sur des lieues de longueur, avec de grands bruits, leurs tristes volutes blanches. Région âpre, avec des espaces déserts ; région de sables, où de tout petits arbres, des chênes verts nains s'aplatissent à l'abri des dunes. Une flore spéciale, étrange et, tout l'été, une profusion d'œillets roses qui embaument. Deux ou trois villages seulement, séparés par des solitudes ; villages aux maisonnettes basses, aussi blanches de chaux que des kasbah d'Algérie et entourées de certaines espèces de fleurs qui peuvent résister au vent marin. Des pêcheurs bruns y habitent : race vaillante et honnête, restée très primitive à l'époque dont je parle, car jamais baigneurs n'étaient venus dans ces parages.

Sur un vieux cahier oublié, où ma sœur avait écrit (à ma manière absolument) ses impressions de cet été-là, je trouve ce portrait de notre logis :

C'était au milieu du village, sur la place, chez M. le maire. Car la maison de M. le maire avait deux ailes, bien étendues sans mesurer l'espace.

Elle éclatait au soleil, éblouissante de chaux ; ses contrevents massifs, tenus par des gros crochets de fer, étaient peints en vert foncé suivant l'usage de l'île. Un parterre était planté en guirlande tout alentour, poussant vigoureusement dans le sable : des belles-de-jour, qui dépassaient de leurs jolies têtes jaunes, roses ou rouges, des fouillis de résédas, et qui s'épanouissaient à midi, avec une douce odeur d'oranger.

En face, un petit chemin creux ensablé descendait rapidement à la plage.

De ce séjour à la *grand'côte* date ma première connaissance vraiment intime, avec les varechs, les crabes, les méduses, les mille choses de la mer.

Et ce même été vit aussi mon premier amour, qui fut pour une petite fille de ce village. Mais ici encore, pour que le récit soit plus fidèle, je laisse la parole à ma sœur et, dans le vieux cahier, je copie simplement :

A la douzaine, tous bruns et hâlés, trottinant avec leurs petits pieds nus, ils (les enfants des pêcheurs) suivaient Pierre, ou bravement le précédaient, se retournant de temps à autre, et écarquillant leurs beaux yeux noirs... C'est qu'à cette époque, *un petit monsieur,* c'était chose assez rare dans le pays pour qu'il valût la peine de se déranger.

Par le sentier creux, ensablé, Pierre descendait ainsi chaque jour à la plage accompagné de son cortège. Il courait aux coquilles, qui étaient ravissantes sur cette partie de la côte : jaunes, roses, violettes, de toutes les couleurs vives et fraîches, de toutes les formes les plus délicates. — Il en trouvait qui faisaient son admiration — et les petits, toujours silencieux, qui suivaient, lui en apportaient aussi plein leurs mains, sans rien dire.

Véronique[23] était une des plus assidues. A peu près de son âge, un peu plus jeune peut-être, six ou sept ans. Un petit visage doux et rêveur, au teint mat, avec deux admirables yeux gris ; tout cela abrité sous une grande *kichenote* blanche (kichenote, un très vieux mot du pays, désignant une très vieille coiffure : espèce de béguin cartonné, qui s'avance comme les cornettes des bonnes sœurs, pour abriter du soleil), Véronique se glissait tout près de Pierre, finissait par s'emparer de sa main et ne la quittait plus. Ils marchaient comme les bébés qui se plaisent, se tenant ferme à pleins doigts, ne parlant pas et se regardant de temps en temps... Puis, un baiser, par-ci par-là. *Voudris ben vous biser* (je voudrais bien vous embrasser), disait-elle en lui tendant ses petits bras avec une tendresse touchante. Et Pierre se laissait embrasser et le lui rendait bien fort, sur ses bonnes petites joues rondes.

. . . .

Petite Véronique courait s'asseoir à notre porte le matin dès qu'elle était levée ; elle s'y tenait tapie comme un gentil caniche et elle attendait. Pierre en s'éveillant pensait bien qu'elle était là ; pour elle, il se faisait matinal ; vite il fallait se laver, peigner ses cheveux blonds, et il courait retrouver sa petite amie. Ils s'embrassaient et se parlaient de leurs trouvailles de la veille ; quelquefois même, Véronique, avant de venir là s'asseoir, avait déjà fait un tour à la plage et rapportait des merveilles, cachées dans son tablier.

Un jour, vers la fin d'août, après une longue rêverie, pendant laquelle il avait sans doute pesé et résolu les difficultés provenant des différences sociales, Pierre dit : « Véronique, nous nous marierons tous deux ; je demanderai la permission à mes parents là-bas. »

Puis, ma sœur raconte ainsi notre départ :

Au 15 septembre, il fallut quitter le village. Pierre avait fait des monceaux de coquilles, d'algues, d'étoiles, de cailloux marins ; insatiable, il voulait tout emporter ; et il rangeait cela dans des caisses ; il empaquetait, avec Véronique qui l'aidait de tout son pouvoir.

Un matin, une grande voiture arriva de Saint-Pierre pour nous chercher, ameutant le village paisible par ses bruits de grelots et ses coups de fouet. Pierre y fit mettre avec sollicitude ses paquets personnels, et nous y prîmes place tous trois ; ses yeux, déjà pleins de tristesse, regardaient par la portière le chemin creux ensablé par lequel on descendait à la plage — et sa petite amie qui sanglotait.

Et enfin je transcris, textuellement aussi, cette réflexion de ma sœur, que je trouve à cette même date d'été, au bas du cahier déjà fané par le temps :

Alors je me sentis prise — et non point pour la première fois sans doute — d'une rêverie inquiète en regardant Pierre. Je me demandai : « Que sera-ce de cet enfant ? »

« Que sera-ce aussi de sa petite amie, dont la silhouette apparaît, persistante, au bout du chemin ? Qu'y a-t-il de désespérance dans ce tout petit cœur ; qu'y a-t-il d'angoisse, en présence de cet abandon ? »

« Que sera-ce de cet enfant ? » Oh ! mon Dieu, rien autre chose que ce qui en a été ce jour-là ; dans l'avenir, rien de moins, rien de plus. Ces départs, ces emballages puérils de mille objets sans valeur appréciable, ce besoin de tout emporter, de se faire suivre d'un monde de souvenirs, — et surtout ces adieux à des petites créatures sauvages, aimées peut-être précisément parce qu'elles étaient ainsi, — ça représente toute ma vie, cela...

Les deux ou trois journées que dura le voyage de retour, arrêt compris chez nos vieilles tantes de l'île, me semblèrent d'une longueur sans fin. L'impatience d'embrasser maman m'ôtait le sommeil. Près de deux mois passés sans la voir ! Ma sœur, en ce temps-là, était bien la seule personne au monde qui pût me faire supporter une séparation si longue !

Quand nous fûmes de retour sur le continent ; après trois heures de route depuis la plage où une barque nous avait déposés, quand la voiture qui nous ramenait franchit les remparts de la ville, j'aperçus enfin ma mère qui nous attendait, je revis son regard, son bon sourire... Et, dans les lointains du temps, c'est une des images très nettes et à jamais fixées que je retrouve, de son cher visage encore presque jeune, de ses chers cheveux encore noirs.

En arrivant à la maison, je courus visiter mon petit lac et ses grottes ; puis le berceau derrière lui, adossé au vieux mur. Mais mes yeux venaient de s'habituer longuement à l'immensité des plages et de la mer ;

alors tout cela me parut rapetissé, diminué, enfermé, triste. Et puis les feuilles avaient jauni ; je ne sais quelle impression hâtive d'automne était déjà dans l'air, pourtant très chaud. Avec crainte je songeai aux jours sombres et froids qui allaient revenir, et très mélancoliquement je me mis à déballer dans la cour mes caisses d'algues ou de coquillages, pris d'un regret désolé de ne plus être dans l'île. Je m'inquiétais aussi de Véronique, de ce qu'elle ferait seule pendant l'hiver, et tout à coup un attendrissement jusqu'aux larmes me vint au souvenir de sa pauvre petite main hâlée de soleil qui ne serait plus jamais dans la mienne...

XXI

Le commencement des devoirs, des leçons, des cahiers, des taches d'encre, ah ! quel assombrissement subit dans mon histoire !

De tout cela, j'ai les souvenirs les plus platement maussades, les plus mortellement ennuyeux. Et, si j'osais être tout à fait sincère, j'en dirais autant, je crois, des professeurs eux-mêmes.

Oh ! mon Dieu, le premier qui me fit commencer le latin (*rosa*, la rose ; *cornu*, la corne ; *tonitru*, le tonnerre), un grand vieux voûté, mal tenu, triste à regarder comme une pluie de novembre ! Il est mort à présent, le pauvre : que la paix la plus sereine soit à son âme ! Mais il me semblait le type réalisé du « monsieur Ratin » de Töpffer ; il en avait tout, même la verrue avec les trois poils, au bout de son vieux nez d'une complication de lignes inimaginable ; il était pour moi la personnification du dégoûtant, de l'horrible.

Tous les jours, à midi précis, il arrivait ; je me sentais glacer par son coup de sonnette, que j'aurais reconnu entre mille.

Après son départ, j'assainissais moi-même la partie de ma table où ses coudes s'étaient posés, en l'essuyant avec des serviettes que j'allais ensuite clandestinement porter au linge sale. Et cette répulsion s'étendait ensuite aux livres, déjà peu attrayants par eux-mêmes, qu'il avait touchés ; j'en arrachais certains feuillets, suspects de contacts trop prolongés avec ses mains...

Toujours pleins de tache d'encre, mes livres ; toujours salis, traînés, couverts de barbouillages, de dessins quelconques comme on en fait quand l'esprit voyage ailleurs. Moi qui étais un enfant si soigneux et si propret en toutes choses, j'avais un tel dédain pour ces livres obligatoires que je devenais commun avec eux et mal élevé. Même — ce qui est plus étonnant encore — tous mes scrupules m'abandonnaient quand il s'agissait de mes devoirs, toujours faits à la dernière minute, à la diable : mon aversion pour le travail a été la première chose qui m'ait fait transiger avec ma conscience.

Cependant, cela allait tout de même à peu près ; mes leçons, sur lesquelles je jetais un coup d'œil à toute extrémité, étaient presque sues. Et, en général, M. Ratin écrivait *bien* ou *assez bien* sur le cahier de notes que je devais chaque soir présenter à mon père.

Mais je crois que si lui ou les autres professeurs qui lui succédèrent, avaient pu soupçonner la vérité, se douter qu'en dehors de leur présence mon esprit ne s'arrêtait peut-être pas cinq minutes par jour à ce qu'ils m'enseignaient, d'indignation leurs honnêtes cervelles auraient éclaté.

XXII

Dans le courant de l'hiver qui suivit mon séjour à la côte de l'île, un grand événement traversa notre vie de famille : le départ de mon frère pour sa première campagne.

Il était, comme je l'ai dit, mon aîné d'environ quatorze ans. Peut-être n'avais-je pas eu le temps d'assez le connaître, d'assez m'attacher à lui, car la vie de jeune homme l'avait pris de bonne heure, le séparant un peu de nous. Je n'allais guère dans sa chambre, où m'épouvantaient les quantités de gros livres épars sur les tables, l'odeur des cigares, et les camarades à lui qu'on risquait d'y rencontrer, officiers ou étudiants. J'avais entendu aussi qu'il n'était pas toujours bien sage, qu'il se promenait quelquefois tard le soir ; qu'il fallait le sermonner, et intérieurement je désapprouvais sa conduite.

Mais l'approche de son départ doubla mon affection et me causa de vraies tristesses.

Il allait en Polynésie, à Tahiti, juste au bout du monde, de l'autre côté de la terre, et son voyage devait durer quatre ans, ce qui représentait près de la moitié de ma propre vie, autant dire une durée presque sans fin...

Avec un intérêt tout particulier je suivais les préparatifs de cette longue campagne : ses malles ferrées qu'on arrangeait avec tant de précautions ; ses galons dorés, ses broderies, son épée, qu'on enveloppait d'une quantité de papiers minces, avec des soins d'ensevelissement, et qu'on enfermait ensuite comme des momies dans des boîtes de métal. Tout cela augmentait l'impression que j'avais déjà, des lointains et des périls de ce long voyage.

On sentait du reste qu'une mélancolie pesait sur la maison tout entière, et devenait de plus en plus lourde à mesure qu'approchait le jour de la grande sépara-tion. Nos repas étaient silencieux ; des recommanda-tions seulement s'échangeaient, et j'écoutais avec recueillement sans rien dire.

La veille de son départ, il s'amusa à me confier — ce qui m'honorait beaucoup — différents petits bibelots fragiles de sa cheminée, me priant de les lui garder avec soin jusqu'à son retour.

Puis il me fit cadeau d'un grand livre doré, qui était précisément un *Voyage en Polynésie*, à nombreuses images ; et c'est le seul livre que j'aie aimé dans ma première enfance. Je le feuilletai tout de suite avec une curiosité empressée. En tête, une grande gravure représentait une femme brune, assez jolie, couronnée de roseaux et nonchalamment assise sous un palmier ; on lisait au-dessous : « Portrait de S. M. Pomaré IV, reine de Tahiti. » Plus loin, c'étaient deux belles créatures au bord de la mer, couronnées de fleurs et la poitrine nue, avec cette légende : « Jeunes filles tahitiennes sur une plage. »

Le jour du départ, à la dernière heure, les prépara-tifs étant terminés et les grandes malles fermées, nous étions tous dans le salon, réunis en silence comme pour un deuil. On lut un chapitre de la Bible et on fit la prière en famille... Quatre années ! et bientôt l'épaisseur du monde entre nous et celui qui allait partir !

Je me rappelle surtout le visage de ma mère pendant toute cette scène d'adieux ; assise dans un fauteuil, à côté de lui, elle avait gardé d'abord son sourire infiniment triste, son expression de confiance rési-gnée, après la prière ; mais un changement que je n'avais pas prévu se fit tout à coup dans ses traits ;

malgré elle, les larmes venaient ; et je n'avais jamais vu pleurer ma mère, et cela me fit une peine affreuse.

Pendant les premiers jours qui suivirent, je conservai le sentiment triste du vide qu'il avait laissé ; j'allais de temps en temps regarder sa chambre, et quant aux différentes petites choses qu'il m'avait données ou confiées, elles étaient devenues tout à fait sacrées pour moi.

Sur une mappemonde, je m'étais fait expliquer sa traversée qui devait durer environ cinq mois. Quant à son retour, il ne m'apparaissait qu'au fond d'un inimaginable et irréel avenir ; et ce qui me gâtait très étrangement cette perspective de le revoir, c'était de me dire que j'aurais douze ou treize ans, que je serais presque un grand garçon quand il reviendrait.

A l'encontre de tous les autres enfants, — de ceux d'aujourd'hui surtout, — si pressés de devenir des espèces de petits hommes, j'avais déjà cette terreur de grandir, qui s'est encore accentuée, un peu plus tard ; je le disais même, je l'écrivais, et quand on me demandait pourquoi, je répondais, ne sachant pas démêler cela mieux : « Il me semble que je m'ennuierai tant, quand je serai grand ! » Je crois que c'est là un cas extrêmement singulier, unique peut-être, cet effroi de la vie, dès le début : je n'y voyais pas clair sur l'horizon de ma route ; je n'arrivais pas à me représenter l'avenir d'une façon quelconque ; en avant de moi, rien que du noir impénétrable, un grand rideau de plomb tendu dans des ténèbres...

XXIII

Gâteaux, gâteaux, mes bons gâteaux tout chauds ! Cela se chante, sur un air naïvement plaintif[24] — composé par une vieille marchande qui, pendant les dix ou quinze premières années de ma vie, passa régulièrement sous nos fenêtres, aux veillées d'hiver.

Et quand je pense à ces veillées-là, il y a tout le temps ce petit refrain mélancolique, à la cantonade, dans les coulisses de ma mémoire.

C'est surtout à des souvenirs de dimanches que la chanson des *gâteaux tout chauds* demeure le plus intimement liée ; car, ces soirs-là, n'ayant pas de devoirs à faire, je restais avec mes parents, dans le salon, qui était au rez-de-chaussée, sur la rue, et alors, quand la bonne vieille passait sur le trottoir, au coup de neuf heures, lançant sa chanson sonore dans le silence des nuits de gelée, je me trouvais là tout près pour l'entendre.

Elle annonçait le froid, comme les hirondelles annoncent le printemps ; après les fraîcheurs d'automne, la première fois qu'on entendait sa chanson, on disait : « Voici l'hiver qui nous est arrivé. »

Le salon de ces veillées, tel que je l'ai connu alors, était grand et me paraissait immense. Très simple, mais avec un certain bon goût d'arrangement : les murs et les bois des portes, bruns avec des filets d'or mat ; des meubles de velours rouge, qui devaient dater de Louis-Philippe ; des portraits de famille, dans des

cadres austères, noir et or ; sur la cheminée, des
bronzes d'aspect grave ; sur la table du milieu, à une
place d'honneur, une grosse Bible du xvie siècle,
relique vénérable d'ancêtres huguenots persécutés
pour leur foi ; et des fleurs, toujours des corbeilles et
des vases de fleurs, à une époque où cependant la
mode n'en était pas encore répandue comme aujour-
d'hui.

Après dîner, c'était pour moi un instant délicieux
que celui où on venait s'installer là, en quittant la salle
à manger ; tout avait un bon air de paix et de confort ;
et quand toute la famille était assise, grand'mère et
tantes, en cercle, je commençais par gambader au
milieu, sur le tapis rouge, dans ma joie bruyante de me
sentir entouré, et en songeant avec impatience à ces
petits jeux auxquels on allait jouer pour moi tout à
l'heure. Nos voisins, les D***, venaient tous les
dimanches passer la soirée avec nous ; c'était de
tradition dans les deux familles, liées par une de ces
anciennes amitiés de province, qui remontent à des
générations précédentes et se transmettent comme un
bien héréditaire. Vers huit heures, quand je reconnaissais leur coup de sonnette, je sautais de plaisir et je ne
pouvais me tenir de prendre ma course pour aller au-
devant d'eux à la porte de la rue, surtout à cause de
Lucette, ma grande amie, qui venait aussi avec ses
parents, cela va sans dire.

Hélas ! avec quel recueillement triste je les passe en
revue, ces figures aimées ou vénérées, bénies, qui
m'entouraient ainsi les dimanches soir ; la plupart ont
disparu et leurs images, que je voudrais retenir,
malgré moi se ternissent, s'embrument, vont s'en aller
aussi...

Donc, on commençait les petits jeux, pour me faire
plaisir, à moi, seul enfant ; on jouait aux *mariages*, à la
toilette à madame, au *chevalier cornu*, à la *belle bergère*,
au *furet ;* tout le monde consentait à s'en mêler, y
compris les personnes les plus âgées ; grand'tante
Berthe, la doyenne, s'y montrait même la plus irrésis-
tiblement drôle.

Et tout à coup je faisais silence, je m'arrêtais, attentif, quand dans le lointain j'entendais : « *Gâteaux, gâteaux, mes bons gâteaux tout chauds !* »

Cela se rapprochait rapidement, car la chanteuse trottait, trottait, menu mais vite ; presque aussitôt elle était sous nos fenêtres, répétant de tout près, à pleine voix fêlée, sa continuelle chanson.

Et c'était mon grand amusement, non point d'en faire acheter, de ces pauvres gâteaux, — car ils étaient un peu grossiers et je ne les aimais guère, — mais de courir moi-même, quand on me le permettait, sur le pas de la porte, accompagné d'une tante de bonne volonté, pour arrêter au passage la marchande.

Avec une révérence, elle se présentait, la bonne vieille, fière d'être appelée, et posait un pied sur les marches du seuil ; son costume propret était rehaussé toujours de fausses manches blanches. Puis, tandis qu'elle découvrait son panier, je jetais longuement au dehors mon regard d'oiseau en cage, le plus loin possible dans la rue froide et déserte. Et c'était là tout le charme de la chose : respirer une bouffée d'air glacé, prendre un aperçu du grand noir extérieur, et, après, rentrer, toujours courant, dans le salon chaud et confortable, — tandis que le refrain monotone s'éloignait, s'en allait se perdre, chaque soir du même côté, dans les mêmes rues basses avoisinant le port et les remparts... Le trajet de cette marchande était invariable, — et je la suivais par la pensée avec un intérêt singulier, aussi longtemps que sa chanson, de minute en minute reprise, s'entendait encore.

Dans cette attention que je lui prêtais, il y avait de la pitié pour elle, pauvre vieille ainsi errante toutes les nuits ; — mais il y avait aussi un autre sentiment qui s'ébauchait, — oh ! si confus encore, si vague, que je vais lui donner trop d'importance, rien qu'en l'indiquant de la façon la plus légère. Voici : j'avais une sorte de curiosité inquiète pour ces quartiers bas, vers lesquels la marchande se rendait si bravement, et où on ne me conduisait jamais. Vieilles rues aperçues de loin, solitaires le jour, mais où, de temps immémorial,

les matelots faisaient leur tapage les soirs de fête,
envoyant quelquefois le bruit de leurs chants jusqu'à
nous. Qu'est-ce qui pouvait se passer là-bas ?
Comment étaient ces gaietés brutales qui se tradui-
saient par des cris ? A quoi donc s'amusaient-ils, ces
gens revenus de la mer et des lointains pays où le soleil
brûle ? Quelle vie plus rude, plus simple et plus libre
était la leur ? — Évidemment, pour mettre au point
tout ce que je viens de dire, il faudrait l'atténuer
beaucoup, l'envelopper comme d'un voile blanc. Mais
déjà le germe d'un trouble, d'une aspiration vers je ne
sais quoi d'autre et d'inconnu, était planté dans ma
petite tête ; en rentrant, avec mes gâteaux à la main,
dans ce salon où on parlait si bas, il m'arrivait,
pendant un instant d'une durée à peine appréciable,
de me sentir étiolé et captif.

A neuf heures et demie, rarement plus tard à cause
de moi, on servait le thé et les très minces tartines —
beurrées d'un beurre exquis et taillées avec ces soins
qu'on n'a plus le temps d'apporter à quoi que ce soit,
de nos jours. Ensuite, vers onze heures, après la
lecture de la Bible et la prière, on allait se coucher.

Dans mon petit lit blanc, j'étais plus agité le
dimanche que les autres jours. D'abord il y avait la
perspective de M. Ratin, qui demain allait reparaître,
plus pénible à voir après ce temps de répit ; je
regrettais que ce jour de repos fût déjà fini, fini si vite,
et je m'ennuyais par avance de ces devoirs qu'il
faudrait faire pendant toute une semaine avant d'atteindre le dimanche suivant. Puis quelquefois, dans le
lointain, une bande de matelots passait en chantant, et
alors mes idées changeaient de cours, s'en allaient vers
les colonies ou les navires ; il me prenait même une
sorte d'envie imprécise et sourde — latente, si j'ose
employer ce mot — de courir moi aussi dehors, à
l'amusante aventure, dans l'air vif des nuits d'hiver,
ou au grand soleil des ports exotiques, et, à tue-tête
comme eux, de chanter la simple joie de vivre...

XXIV

« Alors j'entendis un ange qui volait par le milieu du ciel, et qui disait à haute voix : « Malheur, malheur, malheur aux habitants de la terre ! »

…En plus de la lecture du soir faite en famille, chaque matin dans mon lit je lisais un chapitre de la Bible, avant de me lever.

Ma bible était petite et d'un caractère très fin. Il y avait, entre les pages, des fleurs séchées auxquelles je tenais beaucoup ; surtout une branche de *pieds-d'alouette* roses, magnifiques, qui avaient le don de me rappeler très nettement les « gleux » de l'île d'Oleron où je les avais cueillis.

Je ne sais pas comment cela se dit en français, des « gleux » : ce sont les tiges qui restent, des blés moissonnés ; ce sont ces champs de pailles jaunes, tondues court, que dessèche et dore le soleil d'août. — Au-dessus des « gleux » de l'île, habités par les sauterelles, remontent et refleurissent très haut de tardifs bleuets et surtout des pieds-d'alouette, blancs, violets ou roses.

Donc, les matins d'hiver, dans mon lit, avant de commencer ma lecture, je regardais toujours cette branche de fleurs d'une teinte encore fraîche, qui me donnait la vision et le regret des champs d'Oleron, chauffés au soleil d'été…

« Alors j'entendis un ange, qui volait par le milieu du

ciel et qui disait à haute voix : « *Malheur, malheur,
malheur aux habitants de la terre !* »

« *Puis le cinquième ange sonna de la trompette et je vis
une étoile qui tomba du ciel en la terre, et la clef du puits
de l'abîme lui fut donnée*[25]. »

Quand je lisais ma Bible seul, ayant le choix des
passages, c'était toujours la Genèse grandiose, la
séparation de la lumière et des ténèbres, ou bien les
visions et les émerveillements apocalyptiques ; j'étais
fasciné par toute cette poésie de rêve et de terreur qui
n'a jamais été égalée, que je sache, dans aucun livre
humain... La bête à sept têtes, les signes du ciel, le son
de la dernière trompette, ces épouvantes m'étaient
familières ; elles hantaient mon imagination et la
charmaient. — Il y avait un livre du siècle dernier,
relique de mes ascendants huguenots, dans lequel je
voyais vivre ces choses : une *Histoire de la Bible* avec
d'étranges images apocalyptiques où tous les lointains
étaient noirs. Ma grand'mère maternelle gardait pré-
cieusement, dans un placard de sa chambre, ce livre
qu'elle avait rapporté de l'*île*, et, comme j'avais
conservé l'habitude de monter mélancoliquement chez
elle, l'hiver, dès que je voyais tomber la nuit, c'était
presque toujours à ces heures de clarté indécise que je
lui demandais de me le prêter, pour le feuilleter sur ses
genoux ; jusqu'au dernier crépuscule, je tournais les
feuillets jaunis, je regardais les vols d'anges aux
grandes ailes rapides, les rideaux de ténèbres présa-
geant les fins de mondes, les ciels plus noirs que la
terre, et, au milieu des amoncellements de nuées, le
triangle simple et terrible qui signifie Jéhovah.

XXV

L'Égypte, l'Égypte antique, appelée aussi à exercer sur moi, un peu plus tard, une sorte de fascination bien mystérieuse, je la retrouvai pour la première fois, sans hésitation ni étonnement, dans une gravure du *Magasin pittoresque*. Je saluai comme d'anciennes connaissances deux dieux à tête d'épervier qui étaient là, inscrits de profil sur une pierre de chaque côté d'un étrange zodiaque, et, bien que ce fût par une journée sombre, il me vint, j'en suis très sûr, l'impression subite d'un chaud et morne soleil.

XXVI

Après le départ de mon frère, pendant l'hiver qui suivit, je passai beaucoup de mes heures de récréation dans sa chambre, à peindre les images du *Voyage en Polynésie* qu'il m'avait donné. Avec un soin extrême, je coloriai d'abord les branches de fleurs, les groupes d'oiseaux. Le tour des bonshommes vint ensuite. Quant à ces deux *jeunes filles tahitiennes au bord de la mer*, pour lesquelles le dessinateur s'était inspiré de nymphes quelconques, je les fis blanches, oh ! blanches et roses, comme les plus suaves poupées. Et je les trouvai ravissantes, ainsi.

L'avenir se réservait de m'apprendre que leur teint est différent et leur charme tout autre...

Du reste mon sentiment sur la beauté s'est bien modifié depuis cette époque, et on m'eût beaucoup étonné alors en m'apprenant quelles sortes de visages j'arriverais à trouver charmants dans la suite imprévue de ma vie. Mais tous les enfants ont sous ce rapport le même idéal, qui change ensuite dès qu'ils se font hommes. A eux, qui admirent en toute pureté naïve, il faut des traits doucement réguliers et des teints fraîchement roses ; plus tard, leur manière d'apprécier varie, suivant leur culture d'esprit et surtout au gré de leurs sens.

XXVII

Je ne sais plus bien à quelle époque je fondai mon
musée qui m'occupa si longtemps. Un peu au-dessus
de la chambre de ma grand'tante Berthe, était un petit
galetas isolé, dont j'avais pris possession complète ; le
charme de ce lieu lui venait de sa fenêtre, donnant
aussi de très haut sur le couchant, sur les vieux arbres
du rempart ; sur les prairies lointaines, où des points
roux, semés çà et là au milieu du vert uniforme,
indiquaient des bœufs et des vaches, des troupeaux
errants. — J'avais obtenu qu'on me fît tapisser ce
galetas, — d'un papier chamois rosé qui y est encore ;
— qu'on m'y plaçât des étagères, des vitrines. J'y
installais mes papillons, qui me semblaient des spéci-
mens très précieux ; j'y rangeais des nids d'oiseaux
trouvés dans les bois de la Limoise ; des coquilles
ramassées sur les plages de l'« île » et d'autres, des
« colonies », rapportées autrefois par des parents
inconnus, et dénichées au grenier au fond de vieux
coffres où elles sommeillaient depuis des années sous
de la poussière. Dans ce domaine, je passais des
heures seul, tranquille, en contemplation devant des
nacres exotiques, rêvant aux pays d'où elles étaient
venues, imaginant d'étranges rivages.

Un bon vieux grand-oncle [26], parent éloigné, mais
qui m'aimait bien, encourageait ces amusements. Il
était médecin et ayant, dans sa jeunesse, longtemps
habité la côte d'Afrique, il possédait un cabinet

d'histoire naturelle plus remarquable que bien des musées de ville. D'étonnantes choses étaient là, qui me captivaient : des coquilles rares et singulières, des amulettes, des armes encore imprégnées de ces senteurs exotiques dont je me suis saturé plus tard ; d'introuvables papillons sous des vitres.

Il demeurait dans notre voisinage et je le visitais souvent. Pour arriver à son cabinet, il fallait traverser son jardin où fleurissaient des daturas, des cactus, et où se tenait un perroquet gris du Gabon, qui disait des choses en langue nègre.

Et quand le vieil oncle me parlait du Sénégal, de Gorée, de la Guinée, je me grisais de la musique de ces mots, pressentant déjà quelque chose de la lourdeur triste du pays noir. Il avait prédit, mon pauvre oncle, que je deviendrais un savant naturaliste, — et il se trompait bien, comme du reste tant d'autres qui pronostiquèrent de mon avenir ; il y était moins que personne ; il ne comprenait pas que mon penchant pour l'histoire naturelle ne représentait qu'une déviation passagère de mes petites idées encore flottantes ; que les froides vitrines, les classifications arides, la science morte, n'avaient rien qui pût longtemps me retenir. Non, ce qui m'attirait si puissamment était derrière ces choses glacées, derrière et au delà ; — était la nature elle-même, effrayante, et aux mille visages, l'ensemble inconnu des bêtes et des forêts...

XXVIII

Cependant, je passais aussi de longues heures, hélas ! à faire soi-disant mes devoirs.

Töpffer, qui a été le seul véritable poète des écoliers, en général si incompris, les divisait en trois groupes : 1° ceux qui sont dans les collèges ; 2° ceux qui travaillent chez eux, leur fenêtre donnant sur quelque fond de cour sombre avec un vieux figuier triste ; 3° ceux qui, travaillant aussi au logis, ont une petite chambre claire, sur la rue.

J'appartenais à cette dernière catégorie, que Töpffer considère comme privilégiée et devant fournir plus tard les hommes les plus gais. Ma chambre d'enfant était au premier sur la rue : rideaux blancs, tapisserie verte semée de bouquets de roses blanches ; près de la fenêtre, mon bureau de travail, et, au-dessus, ma bibliothèque toujours très délaissée.

Tant que duraient les beaux jours, cette fenêtre était ouverte, — les persiennes demi-closes, pour me permettre d'être constamment à regarder dehors sans que mes flâneries fussent remarquées ni dénoncées par quelque voisin malencontreux. Du matin au soir, je contemplais donc ce bout de rue tranquille, ensoleillé entre ces blanches maisonnettes de province et s'en allant finir là-bas aux vieux arbres du rempart ; les rares passants, bientôt tous connus de visage ; les différents chats du quartier, rôdant aux portes ou sur les toits ; les martinets tourbillonnant dans l'air chaud,

et les hirondelles rasant la poussière du pavé... Oh!
que de temps j'ai passé à cette fenêtre, l'esprit en
vague rêverie de moineau prisonnier, tandis que mon
cahier taché d'encre restait ouvert aux premiers mots
d'un thème qui n'aboutissait pas, d'une narration qui
ne voulait pas sortir...

L'époque des niches aux passants ne tarda pas à
survenir; c'était du reste la conséquence fatale de ce
désœuvrement ennuyé et souvent traversé de remords.

Ces niches, je dois avouer que Lucette, ma grande
amie, y trempait quelquefois très volontiers. Déjà
jeune fille, de seize ou dix-sept ans, elle redevenait
aussi enfant que moi-même à certaines heures. « Tu
sais, tu ne le diras pas au moins ! » me recommandait-
elle, avec un clignement impayable de ses yeux si fins
(et je le dis, à présent que les années ont passé, que
l'herbe d'une vingtaine d'étés a fleuri sur sa tombe).

Cela consista d'abord à préparer de gentils paquets,
bien enveloppés de papier blanc et bien attachés de
faveurs roses; dedans, on mettait des queues de
cerises, des noyaux de prunes, de petites vilenies
quelconques; on jetait le tout sur le pavé et on se
postait derrière les persiennes pour voir qui le ramas-
serait.

Ensuite, cela devint des lettres, — des lettres
absolument saugrenues et incohérentes, avec dessins à
l'appui intercalés dans le texte, — qu'on adressait aux
habitants les plus drolatiques du voisinage et qu'on
déposait sournoisement sur le trottoir à l'aide d'un fil,
aux heures où ils avaient coutume de passer...

Oh! les fous rires que nous avions, en composant
ces pièces de style ! — D'ailleurs, depuis Lucette, je
n'ai jamais rencontré quelqu'un avec qui j'ai pu rire
d'aussi bon cœur, — et presque toujours à propos de
choses dont la drôlerie à peine saisissable n'eût déridé
aucun autre que nous-mêmes. En plus de notre bonne
amitié de petit frère à grande sœur, il y avait cela entre
nous : un même tour de moquerie légère, un accord
complet dans notre sentiment de l'incohérence et du
ridicule. Aussi lui trouvais-je plus d'esprit qu'à per-

sonne, et, sur un seul mot échangé, nous riions souvent ensemble, aux dépens de notre prochain ou de nous-mêmes, en fusée subite, jusqu'à en être pâmés, jusqu'à nous en jeter par terre.

Tout cela ne cadrait guère, je le reconnais, avec les sombres rêveries apocalyptiques et les graves controverses religieuses. Mais j'étais déjà plein de contradictions à cette époque...

Pauvre petite Lucette ou Luçon (Luçon était un *nom propre masculin singulier* que je lui avais donné ; je disais : Mon bon Luçon) ; pauvre petite Lucette, elle était pourtant un de mes professeurs, elle aussi ; mais un professeur par exemple qui ne me causait ni dégoût ni effroi ; comme M. Ratin, elle avait un cahier de notes, sur lequel elle inscrivait des *bien* ou des *très bien* et que j'étais tenu de montrer à mes parents le soir. — Car j'ai négligé de dire plus tôt qu'elle s'était amusée à m'apprendre le piano, de très bonne heure, en cachette, en surprise, pour me faire exécuter un soir, à l'occasion d'une solennité de famille, l'air du *Petit Suisse* et l'air du *Rocher de Saint-Malo*. — Il en était résulté qu'on l'avait priée de continuer son œuvre si bien commencée, et que mon éducation musicale resta entre ses mains jusqu'à l'époque de Chopin et de Liszt.

La peinture et la musique étaient les deux seules choses que je travaillais un peu.

La peinture m'était enseignée par ma sœur : mais je ne me rappelle plus mes commencements, tant ils furent prématurés ; il me semble que de tout temps j'ai su, avec des crayons ou des pinceaux, rendre à peu près sur le papier les petites fantaisies de mon imagination.

XXIX

Chez grand'mère, au fond de ce placard aux reliques où se tenait le livre des grandes terreurs d'Apocalypse : l'*Histoire de la Bible,* il y avait aussi plusieurs autres choses vénérables. D'abord un vieux psautier, infiniment petit entre ses fermoirs d'argent, comme un livre de poupée, et qui avait dû être une merveille typographique à son époque. Il était ainsi en miniature, me disait-on, pour pouvoir se dissimuler sans peine ; à l'époque des persécutions, des ancêtres à nous avaient dû souvent le porter, caché sous leurs vêtements. Il y avait surtout, dans un carton, une liasse de lettres sur parchemin timbrées de Leyde ou d'Amsterdam, de 1702 à 1710, et portant de larges cachets de cire dont le chiffre était surmonté d'une couronne de comte. Lettres d'aïeux huguenots qui, à la révocation de l'édit de Nantes, avaient quitté leurs terres, leurs amis, leur patrie, tout au monde, pour ne pas abjurer. Ils écrivaient à un vieux grand'père, trop âgé alors pour prendre le chemin de l'exil, et qui avait pu, je ne sais comment, rester ignoré dans un coin de l'île d'Oleron [27]. Ils étaient soumis et respectueux envers lui comme on ne l'est plus de nos jours ; ils lui demandaient conseil ou permission pour tout, — même pour porter certaines perruques dont la mode venait à Amsterdam en ce temps-là. Puis ils contaient leurs affaires, sans un murmure jamais, avec une résignation évangélique ; leurs biens étant confisqués, ils étaient obligés de s'occuper de commerce pour vivre là-bas ; et ils espéraient, disaient-ils, avec l'aide de Dieu, avoir toujours du pain pour leurs enfants.

En plus du respect qu'elles m'inspiraient, ces lettres avaient pour moi le charme des choses très anciennes ; je trouvais si étrange de pénétrer ainsi dans cette activité d'autrefois, dans cette vie intime, déjà vieille de plus d'un siècle et demi.

Et puis, en les lisant, une indignation me venait au cœur contre l'Église romaine, contre la Rome papale, souveraine de ces siècles passés et si clairement désignée, — à mes yeux du moins, — dans cette étonnante prophétie apocalyptique : ... *Et la bête est* UNE VILLE, *et ses sept têtes sont* SEPT COLLINES *sur lesquelles la ville est assise.*

Grand'mère, toujours austère et droite dans sa robe noire, ainsi précisément que l'on est convenu de se représenter les vieilles dames huguenotes, avait été inquiétée, elle aussi, pour sa foi, sous la Restauration, et, bien qu'elle ne murmurât jamais, elle non plus, on sentait qu'elle gardait de cette époque un souvenir oppressant.

De plus, dans « l'île », à l'ombre d'un petit bois enclos de murs attenant à notre ancienne habitation familiale, on m'avait montré la place où dormaient plusieurs de mes ancêtres, exclus des cimetières pour avoir voulu mourir dans la religion protestante.

Comment ne pas être fidèle, après tout ce passé ? Il est bien certain que si l'Inquisition avait été recommencée, j'aurais subi le martyre joyeusement comme un petit illuminé.

Ma foi était même une foi d'avant-garde et j'étais bien loin de la résignation de mes ascendants ; malgré mon éloignement pour la lecture, on me voyait souvent plongé dans des livres de controverse religieuse ; je savais par cœur des passages des Pères, des décisions des premiers conciles ; j'aurais pu discuter sur les dogmes comme un docteur, j'étais retors en arguments contre le papisme.

Et cependant un froid commençait par instants à me

prendre ; au temple surtout, du gris blafard descendait
déjà autour de moi. L'ennui de certaines prédications
du dimanche ; le vide de ces prières, préparées à
l'avance, dites avec l'onction convenue et les gestes
qu'il faut ; et l'indifférence de ces gens endimanchés,
qui venaient écouter, — comme j'ai senti de bonne
heure, — et avec un chagrin profond, une déception
cruelle — l'écœurant formalisme de tout cela ! —
L'aspect même du temple me déconcertait : un
temple de ville ; neuf alors avec une intention d'être
joli, sans oser l'être trop ; je me rappelle surtout
certains petits ornements des murs que j'avais pris
en abomination, qui me glaçaient à regarder.
C'était un peu de ce sentiment que j'ai éprouvé
plus tard à l'excès dans ces temples de Paris visant
à l'élégance et où l'on trouve aux portes des huissiers avec des nœuds de ruban sur l'épaule... Oh !
les assemblées des Cévennes ! oh ! les *pasteurs du
désert* [28] !

De si petites choses, évidemment, ne pouvaient pas
ébranler beaucoup mes croyances, qui semblaient
solides comme un château bâti sur un roc ; mais elles
ont causé la première imperceptible fissure, par
laquelle, goutte à goutte, une eau glacée a commencé
d'entrer.

Où je retrouvais encore le vrai recueillement, la
vraie et douce paix de la maison du Seigneur, c'était
dans le vieux temple de Saint-Pierre-d'Oleron ; mon
aïeul Samuel, au temps des persécutions, avait dû y
prier souvent, puis ma mère y était venue pendant
toute sa jeunesse... Et j'aimais aussi ces petits temples
de villages, où nous allions quelquefois les dimanches
d'été : bien antiques pour la plupart, avec leurs murs
tout simples, passés à la chaux blanche ; bâtis n'importe où, au coin d'un champ de blé, des fleurettes
sauvages alentour ; ou bien retirés au fond de quelque
enclos, au bout d'une vieille allée d'arbres. — Les
catholiques n'ont rien qui dépasse en charme religieux
ces humbles petits sanctuaires de nos côtes protestantes, — même pas leurs plus exquises chapelles de

granit, perdues au fond des bois bretons, que j'ai tant
aimées plus tard...

Je voulais toujours être pasteur, assurément ;
d'abord il me semblait que ce fût mon devoir. Je
l'avais dit, je l'avais promis dans mes prières ; pouvais-
je à présent reprendre ma parole donnée ?

Mais, quand je cherchais, dans ma petite tête, à
arranger cet avenir, de plus en plus voilé pour moi
d'impénétrables ténèbres, ma pensée se portait de
préférence sur quelque église un peu isolée du monde,
où la foi de mon troupeau serait encore naïve, où mon
temple modeste serait consacré par tout un passé de
prières...

Dans l'île d'Oleron, par exemple !

Dans l'île d'Oleron, oui, c'était là, au milieu des
souvenirs de mes aïeux huguenots, que j'entrevoyais
plus facilement et avec moins d'effroi, ma vie sacrifiée
à la cause du Seigneur.

XXX

Mon frère était arrivé dans l'île délicieuse.

Sa première lettre datée de là-bas, très longue, sur un papier mince et léger jauni par la mer, avait mis quatre mois à nous parvenir.

Elle fut un événement dans notre vie de famille ; je me rappelle encore, pendant que mon père et ma mère la décachetaient en bas, avec quelle joyeuse vitesse je montai quatre à quatre au second étage, pour appeler dans leurs chambres ma grand'mère et mes tantes.

Sous l'enveloppe si remplie, toute couverte de timbres d'Amérique, il y avait un billet particulier pour moi et, en le dépliant, j'y trouvai une fleur séchée, sorte d'étoile à cinq feuilles d'une nuance pâle, encore rose. Cette fleur, me disait mon frère, avait poussé et s'était épanouie près de sa fenêtre, à l'intérieur même de sa maison tahitienne, qu'envahissaient les verdures admirables de là-bas. Oh ! avec quelle émotion singulière ; — quelle avidité, si je puis dire ainsi, — je la regardai et la touchai cette pervenche, qui était une petite partie encore colorée, encore presque vivante, de cette nature si lointaine et si inconnue...

Ensuite je la serrai, avec tant de précautions que je la possède encore.

Et, après bien des années, quand je vins faire un pèlerinage à cette case [29] que mon frère avait habitée sur l'autre versant du monde, je vis qu'en effet le jardin ombreux d'alentour était tout rose de ces pervenches-là ; qu'elles franchissaient même le seuil de la porte et entraient, pour fleurir dans l'intérieur abandonné.

XXXI

Après mes neuf ans révolus, on parla un instant de me mettre au collège, afin de m'habituer aux misères de ce monde, et, tandis que cette question s'agitait en famille, je vécus quelques jours dans la terreur de cette prison-là, dont je connaissais de vue les murs et les fenêtres garnies de treillages en fer.

Mais on trouva, après réflexion, que j'étais une petite plante trop délicate et trop rare pour subir le contact de ces autres enfants, qui pouvaient avoir des jeux grossiers, de vilaines manières; on conclut donc à me garder encore.

Cependant je fus délivré de M. Ratin. Un bon vieux professeur, à figure ronde, lui succéda, — qui me déplaisait moins, mais avec lequel je ne travaillais pas davantage. L'après-midi, quand approchait l'heure de son arrivée, ayant bâclé mes devoirs à la hâte, j'étais toujours posté à ma fenêtre, pour le guetter derrière mes persiennes, avec mon livre de leçons ouvert au passage qu'il fallait apprendre; dès que je le voyais poindre, à un tournant, tout au bout de la rue là-bas, je commençais à étudier...

Et en général, quand il entrait, je savais assez pour mériter au moins la note « assez bien » qui ne me faisait pas gronder.

J'avais aussi mon professeur d'anglais qui venait tous les matins, — et que j'appelais Aristogiton (je n'ai jamais su pourquoi). D'après la méthode Robertson, il me faisait paraphraser l'histoire du sultan Mahmoud. C'était du reste le seul qui vît clair dans la situation ; sa conviction intime était que je ne faisais rien, rien, moins que rien ; mais il montrait le bon goût de ne pas se plaindre, et je lui en avais une reconnaissance qui devint bientôt affectueuse.

L'été, pendant les très chaudes journées, c'était dans la cour que je faisais mine de travailler ; j'encombrais, de mes cahiers et de mes livres tachés d'encre, une table verte abritée sous un berceau de lierre, de vigne et de chèvrefeuille. Et comme on était bien là, pour flâner dans une sécurité absolue : à travers les treillages et les branches vertes, sans être vu, on voyait de si loin venir les dangers... J'avais toujours soin d'emporter avec moi, dans cette retraite, une provision de cerises, ou de raisins, suivant la saison, et vraiment j'aurais passé là des heures de rêverie tout à fait délicieuse, — sans ces remords obstinés qui me revenaient à chaque instant, ces remords de ne pas faire mes devoirs...

Entre les feuillages retombants, j'apercevais, de tout près, ce frais bassin, entouré de grottes lilliputiennes, pour lequel j'avais un culte depuis le départ de mon frère. Sur sa petite surface réfléchissante, remuée par le jet d'eau, dansaient des rayons de soleil, — qui remontaient ensuite obliquement et venaient mourir à ma voûte de verdure, à l'envers des branches, sous forme de moires lumineuses sans cesse agitées.

Ce berceau était un petit recoin d'ombre tranquille, où je me faisais des illusions de vraie campagne ; pardessus les vieux murs bas j'écoutais chanter les oiseaux exotiques dans les volières de la maman d'Antoinette, et aussi les oiseaux libres, les hirondelles au rebord des toits, ou les plus simples moineaux, dans les arbres des jardins.

Quelquefois je m'étendais de tout mon long, sur les bancs verts qui étaient là, pour regarder, par les trous du chèvrefeuille, les nuages blancs passer sur le ciel bleu. Je m'initiais aux mœurs intimes des moustiques, qui toute la journée tremblotent sur leurs longues pattes, posés à l'envers des feuilles. Ou bien je concentrais mon attention captivée sur le vieux mur du fond où se passaient, entre insectes, des drames terribles : des araignées sournoises, brusquement sorties de leur trou, attrapaient de pauvres petites bestioles étourdies, — que je délivrais presque toujours, en intervenant avec un brin de paille.

J'avais aussi, j'oubliais de le dire, la compagnie d'un vieux chat, tendrement aimé, que j'appelais *la Suprématie*, et qui fut le compagnon fidèle de mon enfance.

La Suprématie, sachant les heures où je me tenais là, arrivait discrètement sur la pointe de ses pattes de velours, mais ne sautait sur moi qu'après m'avoir interrogé d'un long regard.

Il était très laid, le pauvre, taché bizarrement sur une seule moitié de la figure ; de plus, un accident cruel lui avait laissé la queue de travers, cassée à angle droit. Aussi devint-il bientôt un sujet de continuelle moquerie pour Lucette, chez qui au contraire d'adorables chattes angora se succédaient en dynastie. Quand j'allais la voir, après s'être informée de toutes les personnes de ma famille, elle manquait rarement d'ajouter, avec une impayable condescendance qui suffisait à me donner le fou rire : « Et... ton horreur de chat... est-il en bonne santé, mon enfant ? »

XXXII

Cependant mon musée faisait de grands progrès, et il avait fallu y placer des étagères nouvelles.

Le grand-oncle, visité très souvent et de plus en plus intéressé à mon penchant pour l'histoire naturelle, trouvait dans ses réserves de coquilles une quantité de *doubles* dont il me faisait cadeau. Avec une bonté et une patience infatigables, il m'apprenait les savantes classifications de Cuvier, Linné, Lamarck ou Bruguières, et je m'étonne de l'attention que j'y prêtais.

Sur un petit bureau très ancien, qui faisait partie du mobilier de mon musée, j'avais un cahier où, d'après ses notes, je recopiais, pour chaque coquille étiquetée soigneusement, le nom de l'*espèce*, du *genre*, de la *famille*, de la *classe*, — puis du *lieu d'origine*.

Et là, dans le demi-jour atténué qui tombait sur ce bureau, dans le silence de ce petit recoin haut perché, isolé, rempli déjà d'objets venus des plus extrêmes lointains du monde ou des derniers fins fonds de la mer, quand mon esprit s'était longuement inquiété du changeant mystère des formes animales et de l'infinie diversité des coquilles, — avec quelle émotion je transcrivais sur mon cahier, en face du nom d'un *Spirifère* ou d'un *Térébratule*, des mots comme ceux-ci, enchantés et pleins de soleil : « Côte orientale d'Afrique, côte de Guinée, mer des Indes ! »

Dans ce même musée, je me rappelle avoir éprouvé par une après-midi de mars, un des plus singuliers symptômes de ce besoin de réaction qui, plus tard, à certaines périodes de complète détente, devait me pousser vers le bruit, le mouvement, la gaieté simple et brutale des matelots.

C'était le mardi gras. Au beau soleil, j'étais sorti avec mon père, pour voir un peu les mascarades dans les rues ; et puis, rentré de bonne heure, je m'étais tout de suite rendu là-haut, pour m'amuser à mes classifications de coquillages. Mais les cris lointains des masques et le bruit de leurs tambours venaient me poursuivre jusque dans ma retraite de jeune savant et m'y apportaient une insupportable tristesse. C'était, en beaucoup plus pénible, une impression dans le genre de celle que me causait le chant de la vieille marchande de gâteaux, quand elle allait se perdre du côté des rues basses et des remparts, les nuits d'hiver. Cela devenait une vraie angoisse, subite, inattendue, — mais fort mal définie. Confusément, je souffrais d'être enfermé, moi, et penché sur des choses arides, bonnes pour des vieillards, quand dehors les petits garçons du peuple, de tous les âges, de toutes les tailles, et les matelots, plus enfants qu'eux, couraient, sautaient, chantaient à plein gosier, ayant sur la figure des masques de deux sous. Je n'avais aucune envie de les suivre, cela va sans dire ; j'en sentais même l'impossibilité avec le dégoût le plus dédaigneux. Et je tenais beaucoup à rester là, ayant à finir de mettre en ordre la *famille* multicolore des *Purpurifères*, vingt-troisième des *Gastéropodes*.

Mais, c'est égal, ils me troublaient bien étrangement, ces gens de la rue !... Et alors, me sentant en détresse, je descendis chercher ma mère, la prier avec instance de monter me tenir compagnie. Étonnée de ma demande (car je ne conviais jamais personne dans ce sanctuaire), étonnée surtout de mon air anxieux, elle me dit d'abord en plaisantant que c'était ridicule de la part d'un garçon de dix ans bientôt accomplis ; mais elle consentit tout de suite à venir, et s'installa, presque un peu inquiète, auprès de moi dans mon musée, une broderie à la main.

Oh! alors, rasséréné, réchauffé par sa bienfaisante présence, je me remis à l'ouvrage sans plus me soucier des masques, et en regardant seulement de temps à autre son cher profil se découper en silhouette sur le carré clair de ma petite fenêtre, tandis que baissait le jour de mars.

XXXIII

Je m'étonne de ne plus me rappeler par quelle transformation, lente ou subite, ma vocation de pasteur devint une vocation plus militante de missionnaire.

Il me semble même que j'aurais dû trouver cela beaucoup plus tôt, car de tout temps je m'étais tenu au courant des missions évangéliques, surtout de celles de l'Afrique australe, au pays des Bassoutos. Et, depuis ma plus petite enfance, j'étais abonné au *Messager*, journal mensuel, dont l'image d'en-tête m'avait frappé de si bonne heure. Cette image, je pourrais la ranger en première ligne parmi celles dont j'ai parlé précédemment et qui arrivent à impressionner en dépit du dessin, de la couleur ou de la perspective. Elle représentait un palmier invraisemblable, au bord d'une mer derrière laquelle se couchait un soleil énorme, et, au pied de cet arbre, un jeune sauvage regardant venir, du bout de l'horizon, le navire porteur de la bonne nouvelle du salut. Dans mes commencements tout à fait, quand, au fond de mon petit nid rembourré d'ouate, le monde ne m'apparaissait encore que déformé et grisâtre, cette image m'avait donné à rêver beaucoup ; j'étais capable à présent d'apprécier tout ce qu'elle avait d'enfantin comme exécution, mais je continuais de subir le charme de cet immense soleil, à demi abîmé dans cette mer, et de ce petit bateau des missions arrivant à pleines voiles vers ce rivage inconnu.

Donc, quand on me questionnait maintenant, je répondais : « Je serai missionnaire. » Mais je baissais la voix pour le dire, comme quand on ne se sent pas très sûr de ses forces, et je comprenais bien aussi qu'on ne me croyait plus. Ma mère elle-même accueillait cette réponse avec un sourire triste ; d'abord c'était dépasser ce qu'elle demandait de ma foi ; — et puis elle pressentait sans doute que ce ne serait point cela, que ce serait autre chose, de plus tourmenté et de tout à fait impossible à démêler pour le moment.

Missionnaire ! Il semblait cependant que cela conciliait tout. C'étaient bien les lointains voyages, la vie aventureuse et sans cesse risquée, — mais au service du Seigneur et de sa sainte cause. Cela mettait pour un temps ma conscience en repos.

Ayant imaginé cette solution-là, j'évitais d'y arrêter mon esprit, de peur d'y découvrir encore quelque épouvante. Du reste, l'eau glacée des sermons banals, des redites, du patois religieux, continuait de tomber sur ma foi première. Et par ailleurs, ma crainte ennuyée de la vie et de l'avenir s'augmentait toujours ; en travers de ma route noire, le voile de plomb demeurait baissé, impossible à soulever avec ses grands plis lourds.

XXXIV

Dans ce qui précède, je n'ai pas assez parlé de cette Limoise, qui fut le lieu de ma première initiation aux choses de la nature. Toute mon enfance est intimement liée à ce petit coin du monde, à ses vieux bois de chênes, à son sol pierreux que recouvrent des tapis de serpolet, ou des bruyères.

Pendant dix ou douze étés rayonnants, j'y passais tous mes jeudis d'écolier, et de plus j'en rêvais, d'un jeudi à l'autre, pendant les ennuyeux jours du travail.

Dès le mois de mai, nos amis les D*** s'installaient dans cette maison de campagne, avec Lucette pour y rester, après les vendanges, jusqu'aux premières fraîcheurs d'octobre, — et on m'y conduisait régulièrement tous les mercredis soir.

Rien que de s'y rendre me paraissait déjà une chose délicieuse. Très rarement en voiture — car elle n'était guère qu'à cinq ou six kilomètres, cette Limoise, bien qu'elle me semblât très loin, très perdue dans les bois. C'était vers le sud, dans la direction des pays chauds. (J'en aurais trouvé le charme moins grand si c'eût été du côté du nord.)

Donc, tous les mercredis soir, au déclin du soleil, à des heures variables suivant les mois, je partais de la maison en compagnie du frère aîné de Lucette, grand garçon de dix-huit ou vingt ans qui me faisait l'effet alors d'un homme d'âge mûr. Autant que possible, je marchais à son pas, plus vite par conséquent que dans mes promenades habituelles avec mon père et ma sœur ; nous descendions par les tranquilles quartiers bas, pour passer devant cette vieille caserne des matelots dont les bruits bien connus de clairons et de tambours venaient jusqu'à mon musée, les jours de vent de sud ; puis nous franchissions les remparts, par la plus ancienne et la plus grise des portes, — une porte assez abandonnée, où ne passent plus guère que des paysans, des troupeaux, — et nous arrivions enfin sur la route qui mène à la rivière [30].

Deux kilomètres d'une avenue bien droite, bordée en ce temps-là de vieux arbres rabougris, qui étaient absolument jaunes de lichen et qui portaient tous la chevelure inclinée vers la gauche, à cause des vents marins, soufflant constamment de l'ouest dans les grandes prairies vides d'alentour.

Pour les gens qui ont sur le paysage des idées de convention, et auxquels il faut absolument le site de vignette, l'eau courante entre des peupliers et la montagne surmontée du vieux château, pour ces gens-là, il est admis d'avance que cette pauvre route est très laide.

Moi, je la trouve exquise, malgré les lignes unies de son horizon. De droite et de gauche, rien cependant, rien que des plaines d'herbages où des troupeaux de bœufs se promènent. Et en avant, sur toute l'étendue du lointain, quelque chose qui semble murer les prairies, un peu tristement, comme un long rempart : c'est l'arête du plateau pierreux d'en face, au bas duquel la rivière coule ; c'est l'autre rive, plus élevée que celle-ci et d'une nature différente, mais aussi plane, aussi monotone. Et dans cette monotonie réside précisément pour moi le charme très incompris de nos contrées ; sur de grands espaces, souvent la tranquillité de leurs lignes est ininterrompue et profonde.

Dans nos environs, cette vieille route est du reste celle que j'aime le plus, probablement parce que beaucoup de mes petits rêves d'écolier sont restés posés sur ses lointains plats, où de temps en temps il m'arrive de les retrouver encore... Elle est la seule

aussi qu'on ne m'ait pas défigurée avec des usines, des
bassins ou des gares. Elle est absolument à moi, sans
que personne s'en doute, ni ne songe par conséquent à
m'en contester la propriété.

La somme de charme que le monde extérieur nous
fait l'effet d'avoir, réside en nous-mêmes, émane de
nous-mêmes; c'est nous qui la répandons, — pour
nous seuls, bien entendu, — et elle ne fait que nous
revenir. Mais je n'ai pas cru assez tôt à cette vérité
pourtant bien connue. Pendant mes premières années
toute cette somme de charme était donc localisée dans
les vieux murs ou les chèvrefeuilles de ma cour, dans
nos sables de l'île, dans nos plaines d'herbages ou de
pierres. Plus tard, en éparpillant cela partout, je n'ai
réussi qu'à en fatiguer la source. Et j'ai, hélas!
beaucoup décoloré, rapetissé à mes propres yeux ce
pays de mon enfance — qui est peut-être celui où je
reviendrai mourir; je n'arrive plus que par instants et
par endroits à m'y faire les illusions de jadis; j'y suis
poursuivi, naturellement, par de trop écrasants souvenirs d'ailleurs...

... J'en étais à dire que, tous les mercredis soir, je
prenais, d'un pas joyeux, cette route-là pour me
diriger vers cette assise lointaine de rochers qui
fermait là-bas les prairies, vers cette région des chênes
et des pierres, où la Limoise est située et que mon
imagination d'alors grandissait étrangement.

La rivière qu'il fallait traverser était au bout de
l'avenue si droite de ces vieux arbres, que rongeaient
les lichens couleur d'or et que tourmentaient les vents
d'ouest. Très changeante, cette rivière, soumise aux
marées et à tous les caprices de l'Océan voisin. Nous la
passions dans un bac ou dans une yole, toujours avec
les mêmes bateliers de tout temps connus, anciens
matelots aux barbes blanches et aux figures noircies de
soleil.

Sur l'autre rive, la rive des pierres, j'avais l'illusion
d'un recul subit de la ville que nous venions de quitter
et dont les remparts gris se voyaient encore; dans ma
petite tête, les distances s'exagéraient brusquement,

les lointains fuyaient. C'est qu'aussi tout était changé, le sol, les herbes, les fleurettes sauvages et les papillons qui venaient s'y poser ; rien n'était plus ici comme dans ces abords de la ville, marais et prairies, où se faisaient mes promenades des autres jours de la semaine. Et ces différences que d'autres n'auraient pas aperçues devaient me frapper et me charmer beaucoup, moi qui perdais mon temps à observer si minutieusement les plus infimes petites choses de la nature, qui m'abîmais dans la contemplation des moindres mousses. Même les crépuscules de ces mercredis avaient je ne sais quoi de particulier que je définissais mal ; généralement, à l'heure où nous arrivions sur cette autre rive, le soleil se couchait, et, ainsi regardé, du haut de l'espèce de plateau solitaire où nous étions, il me paraissait s'élargir plus que de coutume, tandis que s'enfonçait son disque rouge derrière les plaines de hauts foins que nous venions de quitter.

La rivière ainsi franchie, nous laissions tout de suite la grand'route pour prendre des sentiers à peine tracés, dans une région, odieusement profanée aujourd'hui mais exquise en ce temps-là, qui s'appelait « les Chaumes ».

Ces Chaumes étaient un bien communal, dépendant d'un village dont on apercevait là-bas l'antique église. N'appartenant donc à personne, ils avaient pu garder intacte leur petite sauvagerie relative. Ils n'étaient qu'une sorte de plateau de pierre d'un seul morceau, légèrement ondulé et couvert d'un tapis de plantes sèches, courtes, odorantes, qui craquaient sous les pas ; tout un monde de minuscules papillons, de microscopiques mouches, vivait là, bizarrement coloré, sur des fleurettes rares.

On rencontrait aussi quelquefois des troupeaux de moutons, avec des bergères qui les gardaient, bien plus paysannes, plus noircies au grand air que celles des environs de la ville. Et ces Chaumes mélancoliques, brûlés de soleil, étaient pour moi comme le vestibule de la Limoise ; ils en avaient déjà le parfum de serpolet et de marjolaine.

Au bout de cette petite lande apparaissait le hameau du Frelin. — Or, j'aimais ce nom de Frelin, il me semblait dériver de ces gros frelons terribles des bois de la Limoise, qui nichaient dans le cœur de certains chênes et qu'on détruisait au printemps en allumant de grands feux alentour. Trois ou quatre maisonnettes composaient ce hameau. Toutes basses, comme c'est l'usage dans nos pays, elles étaient vieilles, vieilles, grisâtres ; des fleurons gothiques, des blasons à moitié effacés surmontaient leurs petites portes rondes. Presque toujours entrevues à la même heure, à la lumière mourante, à la tombée du crépuscule, elles évoquaient dans mon esprit le mystère du temps passé ; surtout elles attestaient l'antiquité de ce sol rocheux, très antérieur à nos prairies de la ville qui ont été gagnées sur la mer, et où rien ne remonte beaucoup plus loin que l'époque de Louis XIV.

Après le Frelin, je commençais à regarder en avant de moi dans les sentiers, car en général on ne tardait pas à apercevoir Lucette, venant à notre rencontre, en voiture ou à pied, avec son père ou sa mère. Et dès que je l'avais reconnue, je prenais ma course pour aller l'embrasser.

On franchissait le village, en longeant l'église — une antique petite merveille, du XIIe siècle, du style roman le plus reculé et le plus rare ; — alors, le crépuscule s'éteignant toujours, on voyait surgir devant soi une haute bande noire : les bois de la Limoise, composés surtout de chênes verts, dont le feuillage est si sombre. Puis on s'engageait dans les chemins particuliers du domaine ; on passait devant le puits où les bœufs attendaient leur tour pour boire. Et enfin on ouvrait le vieux petit portail ; on pénétrait dans la première cour, espèce de préau d'herbe, déjà plongé dans l'ombre tout à fait obscure de ses arbres de cent ans.

L'habitation était entre cette cour et un grand jardin un peu à l'abandon, qui confinait aux bois de chênes. En entrant dans les appartements très anciens, aux murailles peintes à la chaux blanche et aux boiseries d'autrefois, je cherchais d'abord des yeux ma papillonnette, toujours accrochée à la même place, prête pour les chasses du lendemain...

Après dîner, on allait généralement s'asseoir au fond du jardin, sur les bancs d'un berceau adossé aux vieux murs d'enceinte, — adossé à tout l'inconnu de la campagne noire où chantaient les hiboux des bois. Et tandis qu'on était là, dans la belle nuit tiède semée d'étoiles, dans le silence sonore plein de musiques de grillons, tout à coup une cloche commençait à tinter, très loin mais très clair, là-bas dans l'église du village.

Oh ! l'*Angelus* d'Échillais, entendu dans ce jardin, par ces beaux soirs d'autrefois ! Oh ! le son de cette cloche, un peu fêlée mais argentine encore, comme ces voix très vieilles, qui ont été jolies et qui sont restées douces ! Quel charme de passé, de recueillement mélancolique et de paisible mort, ce son-là venait répandre dans l'obscurité limpide de la campagne !... Et la cloche tintait longtemps, inégale dans le lointain, tantôt assourdie, tantôt rapprochée, au gré des souffles tièdes qui remuaient l'air. Je songeais à tous les gens qui devaient l'écouter, dans les fermes isolées ; je songeais surtout aux endroits déserts d'alentour, où il n'y avait personne pour l'entendre, et un frisson me venait à l'idée des bois proches voisins, où sans doute les dernières vibrations devaient mourir...

Un conseil municipal, composé d'esprits supérieurs, après avoir affublé le pauvre vieux clocher roman d'une potence avec un drapeau tricolore, a supprimé maintenant cet *Angelus*. Donc, c'est fini ; on n'entendra plus jamais, les soirs d'été, cet appel séculaire...

Aller se coucher ensuite était une chose très égayante, surtout avec la perspective du lendemain jeudi qui prédisposait à s'amuser de tout. J'aurais sans doute eu peur, dans les chambres d'amis qui étaient au rez-de-chaussée de la grande maison solitaire ; aussi, jusqu'à ma douzième année m'installait-on en haut, dans l'immense chambre de la mère de Lucette, derrière des paravents qui me faisaient un logis particulier. Dans mon réduit se trouvait une bibliothè-

que Louis XV, vitrée, remplie de livres de navigation
du siècle dernier, de journaux de marine fermés
depuis cent ans. Et sur la chaux blanche du mur, il y
avait, tous les étés, les mêmes imperceptibles petits
papillons, qui entraient dans le jour par les fenêtres
ouvertes et qui dormaient là posés, les ailes étendues.
Des incidents, qui complétaient la soirée, survenaient
toujours au moment où on allait s'endormir : une
intempestive chauve-souris qui faisait son entrée,
tournoyant comme une folle autour des flambeaux ; ou
une énorme phalène bourdonnante qu'il fallait chasser
avec un aranteloir [31]. Ou bien encore, quelque orage se
déchaînait, tourmentant les arbres voisins qui bat-
taient le mur de leurs branches ; rouvrant les vieilles
fenêtres qu'on avait fermées, ébranlant tout !

J'ai un souvenir effrayant et magnifique de ces
orages de la Limoise, tels qu'ils m'apparaissaient, à
cette époque où tout était plus grand qu'aujourd'hui et
palpitait d'une vie plus intense...

XXXV

C'est vers le moment où j'en suis rendu, — ma onzième année environ, — que se place l'apparition d'une nouvelle petite amie, appelée à être bientôt en très haute faveur enfantine auprès de moi. (Antoinette avait quitté le pays ; Véronique était oubliée.)

Elle s'appelait Jeanne [32] et elle était d'une famille d'officiers de marine liée à la nôtre, comme celle des D***, depuis un bon siècle. Son aîné de deux ou trois ans, je n'avais guère pris garde à elle au début, la trouvant trop bébé sans doute.

Elle avait d'ailleurs commencé par montrer une petite figure de chat très drôle ; impossible de savoir ce qui sortirait de son minois trop fin, impossible de deviner si elle serait vilaine ou jolie ; puis, bientôt, elle passa par une certaine gentillesse, et finit par devenir tout à fait mignonne et charmante sur ses huit ou dix ans. Très malicieuse, aussi sociable que j'étais sauvage ; aussi lancée dans les bals et les soirées d'enfants que j'en étais tenu à l'écart, elle me semblait alors posséder le dernier mot de l'élégance mondaine et de la coquetterie comme il faut.

Et malgré la grande intimité de nos familles, il était manifeste que ses parents voyaient nos relations d'un mauvais œil, trouvant mal à propos sans doute qu'elle eût pour camarade un garçon. J'en souffrais beaucoup, et, les impressions des enfants sont si vives et si persistantes, qu'il a fallu des années passées, il a fallu

que je devinsse presque un jeune homme pour par-
donner à son père et à sa mère les humiliations que
j'en avais ressenties.

Il en résultait pour moi un désir d'autant plus grand
d'être admis à jouer avec elle. Et elle, alors, sentant
cela, faisait sa petite princesse inaccessible de contes
de fées ; raillait impitoyablement mes timidités, mes
gaucheries de maintien, mes entrées manquées dans
des salons ; c'était entre nous un échange de pointes
très comiques, ou d'impayables petites galanteries.

Quand j'étais invité à passer une journée chez elle,
j'en jouissais à l'avance, mais j'en avais généralement
des déboires après, car je commettais toujours des
maladresses dans cette famille, où je me sentais
incompris. Et chaque fois que je voulais l'avoir à dîner
à la maison, il fallait que ce fût négocié de longue main
par grand'tante Berthe, qui faisait autorité chez ses
parents.

Or, un jour qu'elle revenait de Paris, cette petite
Jeanne me conta avec admiration la féerie de *Peau-
d'Ane* qu'elle avait vu jouer.

Elle ne perdit pas son temps, cette fois-là, car Peau-
d'Ane devait m'occuper pendant quatre ou cinq
années, me prendre les heures les plus précieuses que
j'aie jamais gaspillées dans le cours de mon existence.

En effet, nous conçûmes ensemble l'idée de monter
cela sur un théâtre qui m'appartenait. Cette Peau-
d'Ane nous rapprocha beaucoup. Et, peu à peu, ce
projet atteignit dans nos têtes des proportions gigan-
tesques ; il grandit, grandit pendant des mois et des
mois, nous amusant toujours plus, à mesure que nos
moyens d'exécution se perfectionnaient. Nous bros-
sions de fantastiques décors ; nous habillions, pour les
défilés, d'innombrables petites poupées. Vraiment, je
serai obligé de reparler plusieurs fois de cette féerie,
qui a été une des choses capitales de mon enfance.

Et même après que Jeanne s'en fut lassée, je
continuai seul, surenchérissant toujours, me lançant
dans des entreprises réellement grandioses, de clairs
de lune, d'embrasements, d'orages. Je fis aussi des

palais merveilleux, des jardins d'Aladin. Tous les
rêves d'habitations enchantées, de luxes étranges que
j'ai plus ou moins réalisés plus tard, dans divers coins
du monde, ont pris forme, pour la première fois, sur
ce théâtre de Peau-d'Ane ; au sortir de mon mysti-
cisme des commencements, je pourrais presque dire
que toute la chimère de ma vie a été d'abord essayée,
mise en action sur cette très petite scène-là. J'avais
bien quinze ans, lorsque les derniers décors inachevés
s'enfermèrent pour jamais dans les cartons qui leur
servent de tranquille sépulture.

Et, puisque j'en suis à anticiper ainsi sur l'avenir, je
note ceci, pour terminer : ces dernières années, avec
Jeanne devenue une belle dame, nous avons formé
vingt fois le projet de rouvrir ensemble les boîtes où
dorment nos petites poupées mortes, — mais la vie à
présent s'en va si vite que nous n'en avons jamais
trouvé le temps, ni ne le trouverons jamais.

Nos enfants, peut-être, plus tard ? — ou, qui sait,
nos petits-enfants ! Un jour futur, quand on ne
pensera plus à nous, ces successeurs inconnus, en
furetant au fond des plus mystérieux placards, feront
l'étonnante découverte de légions de petits personnages, nymphes, fées et génies, qui furent habillés par
nos mains...

XXXVI

Il paraît que certains enfants du pays du Centre ont une préoccupation grande de voir la mer. Moi, qui n'étais jamais sorti de nos plaines monotones, je rêvais de voir des montagnes. Je me représentais de mon mieux ce que cela pouvait être ; j'en avais vu dans plusieurs tableaux, j'en avais même peint dans des décors de Peau-d'Ane. Ma sœur, pendant un voyage autour du lac de Lucerne, m'en avait envoyé des descriptions, m'en avait écrit de longues lettres, comme on n'en adresse pas d'ordinaire à des enfants de l'âge que j'avais alors. Et mes notions s'étaient complétées de photographies de glaciers, qu'elle m'avait rapportées pour mon stéréoscope. Mais je désirais ardemment voir la réalité de ces choses.

Or, un jour, comme à souhait, une lettre arriva, qui fut tout un événement dans la maison. Elle était d'un cousin germain [33] de mon père, élevé jadis avec lui fraternellement, mais qui, pour je ne sais quelles causes, n'avait plus donné signe de vie depuis trente ans. Quand je vins au monde, on avait déjà complètement cessé de parler de lui dans la famille, aussi ignorais-je son existence. Et c'était lui qui écrivait, demandant que le lien fût renoué ; il habitait, disait-il, une petite ville du Midi, perdue dans les montagnes, et il annonçait qu'il avait des fils et une fille, dans les âges de mon frère et de ma sœur. Sa lettre était très affectueuse, et on lui répondit de même, en lui apprenant notre existence à tous les trois.

Puis, la correspondance ayant continué, il fut décidé qu'on m'enverrait passer les vacances chez eux, avec ma sœur qui jouerait là, comme pendant nos voyages dans l'île, son rôle de mère auprès de moi.

Ce Midi, ces montagnes, cet agrandissement subit de mon horizon, — et aussi ces nouveaux cousins tombés du ciel, — tout cela devint l'objet de mes constantes rêveries jusqu'au mois d'août, moment fixé pour notre départ.

XXXVII

La petite Jeanne était venue passer la journée à la maison ; c'était à la fin de mai, pendant ce même printemps d'attente, et j'avais douze ans. Toute l'après-midi, nous avions fait manœuvrer sur la scène des poupées de cinq à six centimètres de long, en porcelaine articulée ; nous avions peint des décors ; nous avions travaillé à Peau-d'Ane, enfin, — mais à Peau-d'Ane première manière — au milieu d'un grand fouillis de couleurs, de pinceaux, de retailles de carton, de papier doré et de morceaux de gaze. Puis, l'heure de descendre à la salle à manger approchant, nous avions serré nos précieux travaux dans une grande caisse, qui y fut consacrée depuis ce jour-là — et dont l'intérieur, en sapin neuf, avait une odeur résineuse très persistante.

Après dîner, pendant le long crépuscule tranquille, on nous emmena tous deux ensemble à la promenade.

Mais — surprise qui commença de m'attrister — dehors il faisait presque froid, et ce ciel de printemps avait un voile qui rappelait l'hiver. Au lieu de nous conduire hors de ville vers les allées et les routes toujours animées de promeneurs, ce fut du côté du grand jardin de la Marine, lieu plus comme il faut, mais solitaire tous les soirs après le soleil couché.

En nous y rendant, par une longue rue droite où il n'y avait aucun passant, comme nous arrivions près de la chapelle des Orphelines, nous entendîmes sonner et psalmodier pour le mois de Marie ; puis un cortège sortit : des petites filles en blanc, qui semblaient avoir froid sous leurs mousselines de mai. Après avoir fait un tour dans le quartier désert et avoir chanté une ritournelle mélancolique, la modeste procession, avec ses deux ou trois bannières, rentra sans bruit ; personne ne l'avait regardée dans la rue, où, d'un bout à l'autre, nous étions seuls ; le sentiment me vint que personne ne l'avait regardée non plus dans ce ciel tendu de gris, qui devait être également vide. Cette pauvre petite procession d'enfants abandonnées avait achevé de me serrer le cœur, en ajoutant à mon désenchantement sur les soirées de mai la conscience de la vanité des prières et du néant de tout.

Dans le jardin de la Marine, ma tristesse s'augmenta encore. Il faisait froid décidément, et nous frissonnions, tout étonnés, sous nos costumes de printemps. Il n'y avait du reste pas un seul promeneur nulle part. Les grands marronniers fleuris, les arbres feuillus, feuillus, d'une nuance fraîche et éclatante, se suivaient en longues enfilades touffues, absolument vides ; la magnificence des verts s'étalait pour les regards de personne, sous un ciel immobile, d'un gris pâle et glacé. Et le long des parterres, c'était une profusion de roses, de pivoines, de lis, qui semblaient s'être trompés de saison et frissonner comme nous, sous ce crépuscule subitement refroidi.

J'ai souvent trouvé du reste que les mélancolies des printemps dépassent celles des automnes, sans doute parce qu'elles sont un contresens, une déception sur la seule chose du monde qui devrait au moins ne jamais nous manquer.

Dans le désorientement où ces aspects me jetaient, l'envie me prit de faire à Jeanne une niche de gamin.

Il me venait parfois de ces tentations-là avec elle, pour me venger de son esprit, plus précocement appointé et moqueur que le mien. Je l'engageai donc à sentir de près des lis qui étaient charmants, et, tandis qu'elle se penchait, d'une très légère poussée derrière les cheveux, je lui mis le nez en plein dans les fleurs,

pour la barbouiller de pollen jaune. Elle fut indignée !
Et le sentiment d'avoir commis un acte de mauvais
goût acheva de me rendre pénible notre retour de
promenade.

Les belles soirées de mai !... J'avais pourtant gardé,
de celles des années précédentes, un souvenir autrement doux ; elles étaient donc ainsi ?... Ce froid, ce
ciel couvert, cette solitude des jardins ? Et si vite, si
mal finie, cette journée d'amusement avec Jeanne ! En
moi-même, je conclus à ce mortel : « Ce n'est que
ça ! » qui est devenu dans la suite une de mes plus
ordinaires réflexions, et que j'aurais aussi bien pu
prendre pour devise...

En rentrant, j'allai inspecter dans le coffre de bois
notre travail de l'après-midi, et je sentis l'odeur
balsamique des planches, qui avait imprégné tous nos
objets de théâtre. Eh bien, pendant très longtemps,
pendant un an, deux ans, ou ou plus, cette même senteur
du coffre de Peau-d'Ane me rappela obstinément cette
soirée de mai, et son immense tristesse qui fut une des
plus singulières de ma vie d'enfant. Du reste, dans ma
vie d'homme, je n'ai plus guère retrouvé ces angoisses
sans cause connue et doublées de cette anxiété de ne
pas comprendre, de se sentir perdre pied toujours
dans les mêmes insondables dessous ; je n'ai plus
guère souffert sans savoir au moins pourquoi. Non,
ces choses-là ont été spéciales à mon enfance, et ce
livre aurait aussi bien pu porter ce titre (dangereux, je
le reconnais) : « Journal de mes grandes tristesses
inexpliquées, et des quelques gamineries d'occasion
par lesquelles j'ai tenté de m'en distraire. »

XXXVIII

C'est aussi vers cette époque que j'adoptai d'une façon presque exclusive la chambre de tante Claire pour faire mes devoirs et travailler à Peau-d'Ane. Je m'installai là comme en pays conquis, encombrant tout et n'admettant pas la possibilité d'être gênant.

D'abord tante Claire était la personne qui me gâtait le plus. Et si soigneuse de mes petites affaires ! A propos d'un étalage de choses extraordinairement fragiles ou susceptibles de s'envoler au moindre souffle — comme par exemple les ailes de papillon ou les élytres de scarabée qui devaient orner les costumes des nymphes de la féerie, — quand une fois je lui avais dit : « Je te confie tout ça, bonne tante ! » je pouvais m'en aller tranquille, personne n'y toucherait.

Et puis une des attractions du lieu était l'ours aux pralines : j'entrais souvent rien que pour lui rendre visite. Il était en porcelaine et habitait un coin de la cheminée, assis sur son arrière-train. D'après une convention passée avec tante Claire, chaque fois qu'il avait la tête tournée de côté (et il la tournait plusieurs fois par jour), c'est qu'il contenait dans son intérieur une praline ou un bonbon à mon intention. Quand j'avais mangé, je lui remettais soigneusement la figure au milieu pour indiquer mon passage, et je m'en allais.

Tante Claire s'employait aussi à Peau-d'Ane ; elle travaillait dans les costumes et je lui donnais sa tâche chaque jour. Elle avait surtout l'entreprise de la

coiffure des fées et des nymphes ; sur leurs têtes de
porcelaine grosses comme le bout du petit doigt, elle
posait des postiches de soie blonde, qu'elle frisait
ensuite en boucles éparses au moyen d'imperceptibles
fers...

Puis, quand je me décidais à commencer mes
devoirs, dans la fièvre de la dernière demi-heure,
après avoir gaspillé mon temps en flâneries de tous
genres, c'était encore tante Claire qui venait à mon
secours ; elle prenait en main l'énorme dictionnaire
qu'il fallait, et me cherchait mes mots pour les thèmes
ou les versions. Elle s'était habituée même à lire le
grec, afin de m'aider à apprendre mes leçons dans
cette langue. Et, pour cet exercice, je l'entraînais
toujours dans un escalier, où je m'étendais aussitôt sur
les marches, les pieds plus hauts que la tête : deux ou
trois années durant, ce fut ma pose classique pendant
la récitation de la *Cyropédie*[34] ou de l'*Iliade*.

XXXIX

C'était une grande joie quand, le jeudi soir, quelque orage terrible se déchaînait sur la Limoise, rendant le retour impossible.

Et cela arrivait; on en avait vu des exemples; je pouvais donc à la rigueur me bercer de cette espérance, les jours où mes devoirs n'étaient pas finis... (Car un professeur sans pitié avait inauguré les devoirs du jeudi; il fallait maintenant traîner avec soi là-bas des cahiers, des livres; mes pauvres journées de plein air en étaient tout assombries.)

Or, un soir que l'orage désiré était venu avec une violence superbe, vers huit heures nous nous tenions, Lucette et moi, pas trop rassurés, dans le grand salon sonore, aux murs un peu nus ornés seulement de deux ou trois bizarres vieilles gravures dans de vieux cadres; elle, mettant la dernière main à une *réussite*, sous les regards de sa maman; moi, jouant en sourdine un rigaudon de Rameau sur un piano de campagne aux sons vieillots, et trouvant délicieuse cette musiquette du temps passé, ainsi mêlée au fracas lourd des grands coups de tonnerre...

La réussite finie, Lucette feuilleta mes cahiers de devoirs qui traînaient sur une table, et après avoir, d'un clignement d'yeux, constaté pour moi seul que je n'avais rien fait, me dit tout à coup : « Et ton *Histoire* de Duruy, où l'as-tu mise ? »

— Mon *Histoire* de Duruy?... En effet, où était-il,

ce livre ? Un livre tout neuf, à peine barbouillé
encore... — Ah ! mon Dieu !... là-bas, oublié au fond
du jardin, dans les derniers carrés d'asperges !... (Pour
faire mes études historiques, j'avais adopté ces carrés
d'asperges, qui, en été, deviennent des espèces de
bocages d'une haute verdure herbacée très légère ; de
même que certaine allée de noisetiers, touffue, impénétrable, ombreuse comme un souterrain vert, était le
lieu choisi pour le travail incomparablement plus
pénible de la versification latine.) Cette fois, par
exemple, je fus grondé par la maman de Lucette, et on
décida d'aller, séance tenante, au secours de ce livre.

Une expédition s'organisa : en tête, un domestique
portant une lanterne d'écurie ; derrière lui, Lucette et
moi, en sabots, tenant à grand'peine un parapluie que
le vent d'orage nous retournait sans cesse.

Dehors, plus aucune frayeur ; mais j'ouvrais bien
grands mes yeux et j'écoutais de toutes mes oreilles.
Oh ! qu'il me paraissait étonnant et sinistre ce fond de
jardin, vu par ces grandes lueurs de feux verts, qui
tremblaient, clignotaient, puis de temps en temps
nous laissaient aveuglés dans la nuit noire. Et quelle
impression me venait des bois de chênes voisins, où se
faisait un bruit continuel de fracassement de
branches...

Dans les carrés d'asperges, nous retrouvâmes, toute
trempée d'eau, tout éclaboussée de terre, cette *Histoire*
de Duruy. Avant l'orage, des escargots, émoustillés
sans doute par la pluie prochaine, l'avaient même
visitée en tous sens, y dessinant des arabesques avec
leur bave luisante...

Eh bien ! ces traînées d'escargots sur ce livre ont
persisté longtemps, préservées par mes soins sous des
enveloppes de papier. C'est qu'elles avaient le don de
me rappeler mille choses, — grâce à ces associations
comme il s'en est fait de tout temps dans ma tête,
entre les images même les plus disparates, pourvu
qu'elles aient été rapprochées une seule fois, à un
moment favorable, par un simple hasard de simultanéité.

La nuit, regardés à la lumière, ces petits zigzags luisants, sur cette couverture de Duruy, me rappelaient tout de suite le rigaudon de Rameau, le vieux son grêle du piano dominé par le bruit du grand orage ; et ils ramenaient aussi une apparition qui m'était venue ce soir-là (aidée par une gravure de Teniers accrochée à la muraille), une apparition de petits personnages du siècle passé dansant à l'ombre, dans des bois comme ceux de la Limoise ; ils renouvelaient toute une évocation, qui s'était faite en moi, de gaietés pastorales du vieux temps, à la campagne, sous des chênes.

XL

Cependant les retours du jeudi soir auraient eu aussi un grand charme quelquefois, n'eût été le remords de ces devoirs jamais finis.

On me reconduisait en voiture, ou à âne, ou à pied jusqu'à la rivière. Une fois sorti du plateau pierreux de la rive sud, une fois repassé sur l'autre bord, je trouvais toujours mon père et ma sœur venus à ma rencontre, et avec eux je reprenais gaiement la route droite qui menait au logis, entre les grandes prairies ; je rentrais d'un bon pas, dans la joie de revoir maman, les tantes et la chère maison.

Quand on entrait en ville, par la vieille porte isolée, il faisait tout à fait nuit, nuit d'été ou de printemps ; en passant devant la caserne des équipages, on entendait les musiques familières de tambours et de clairons annonçant l'heure hâtive du coucher des matelots.

Et, en arrivant au logis, c'était généralement au fond de la cour que je retrouvais les chères robes noires, assises, à la belle étoile ou sous les chèvre-feuilles.

Au moins, si les autres étaient rentrées, j'étais sûr de trouver là tante Berthe, seule, toujours indépendante de caractère, et dédaigneuse des rhumes du soir, des fraîcheurs du serein ; après m'avoir embrassé, elle flairait mes habits, en reniflant un peu pour me faire rire, et disait : « Oh ! tu sens la Limoise, petit ! »

Et, en effet, je sentais la Limoise. Quand on

revenait de là-bas, on rapportait toujours avec soi une odeur de serpolet, de thym, de mouton, de je ne sais quoi d'aromatique, qui était particulier à ce recoin de la terre.

XLI

A propos de Limoise, j'ai la vanité de conter un de mes actes, qui fut vraiment héroïque comme obéissance, comme fidélité à une parole donnée.

Cela se passait un peu avant ce départ pour le Midi, dont mon imagination était si préoccupée ; par conséquent, vers le mois de juillet qui suivit mes douze ans accomplis.

Un certain mercredi, après m'avoir fait partir de meilleure heure que de coutume, afin d'être sûr que j'arriverais avant la nuit, on se borna, sur mes instances pressantes, à me conduire hors de ville ; puis on me permit, pour une fois, de continuer jusqu'à la Limoise seul, comme un grand garçon.

Au passage de la rivière, je tirai de ma poche, déjà avec une indicible honte devant les vieux bateliers tannés par la mer, la cravate de soie blanche que j'avais promis de me mettre au cou, par précaution contre la fraîcheur de l'eau.

Et une fois sur les Chaumes, lieu sans ombre, toujours brûlé par un ardent soleil, j'exécutai le serment qu'on avait exigé de moi au départ : j'ouvris un en-tout-cas [35] ! — Oh ! je me sentis rougir, je me trouvai amèrement ridicule, quand une petite bergère était là, tête nue, gardant ses moutons. Pour comble, arrivaient du village quatre garçons, qui sortaient de l'école sans doute et qui, de loin, me regardaient avec étonnement. Mon Dieu ! je me sentais faiblir ; aurais-je bien le courage vraiment de tenir jusqu'au bout ma parole !...

Ils passèrent à côté de moi, regardant de près, sous le nez, ce petit monsieur qui craignait tant les coups de soleil ; l'un dit cette chose, qui n'avait aucun sens, mais qui me cingla comme une mortelle injure : « C'est le marquis de Carabas ! » et ils se mirent tous à rire. Cependant je continuai ma route sans broncher, sans répondre, malgré le sang qui m'affluait aux joues, me bourdonnait aux oreilles, et je gardai mon en-tout-cas ouvert !

Dans la suite des temps, il devait m'arriver maintes fois de passer mon chemin sans relever des injures lancées par de pauvres gens ignorants des causes ; mais je ne me rappelle pas en avoir souffert. Tandis que cette scène !... Non, ma conscience ne m'a jamais fait accomplir rien d'aussi méritoire.

Mais je suis convaincu, par exemple, qu'il ne faut pas chercher autre part l'origine de cette aversion pour les parapluies qui m'a suivi dans l'âge mûr. Et j'attribue aux foulards, aux calfeutrages, aux précautions excessives dont on m'entourait jadis, le besoin qui me prit, plus tard, quand vint la période des réactions extrêmes, de noircir ma poitrine au soleil et de l'exposer à tous les vents du ciel.

XLII

La tête à la portière d'un wagon qui filait très vite, je demandais à ma sœur, assise en face de moi :

— Est-ce que ce ne sont pas déjà des montagnes ?

— Pas encore, répondait-elle, ayant toujours en tête le souvenir des Alpes. Pas encore. De grandes collines tout au plus !

La journée d'août était chaude et radieuse. Un train rapide de la ligne du Midi nous emportait. Nous étions en route pour chez nos cousins inconnus !...

— Oh ! mais ça ?... voyons ! repris-je avec un accent de triomphe, apercevant de mes yeux écarquillés quelque chose de plus haut que tout, qui se dessinait en bleu sur l'horizon pur.

Elle se pencha :

— Ah ! dit-elle, oui ; cette fois, par exemple, je t'accorde ; pas très élevées cependant, mais enfin...

Tout nous amusa, le soir à l'hôtel, dans une ville où il fallut nous arrêter jusqu'au jour suivant, et je me rappelle la nuit splendide qui survint, tandis que nous étions accoudés à notre balcon de louage, regardant s'assombrir les montagnes bleuâtres et écoutant les grillons chanter.

Le lendemain, troisième jour de notre voyage qui se faisait par étapes, nous frétâmes une voiture drôle, pour nous faire conduire dans la petite ville, bien perdue en ce temps-là, où nos cousins habitaient.

Par des défilés, des ravins, des traverses, cinq

heures de route, pendant lesquelles tout fut enchantement pour moi. En plus de la nouveauté de ces
montagnes, il y avait aussi des changements complets
dans toutes choses : le sol, les pierres prenaient une
ardente couleur rouge ; au lieu de nos villages, toujours si blancs sous leur couche de chaux neigeuse, et
toujours si bas, comme n'osant pas s'élever au milieu
de l'immense uniformité des plaines, ici les maisons,
rougeâtres autant que les rochers, se dressaient en
vieux pignons, en vieilles tourelles, et se perchaient
bien haut, sur les sommets des collines ; les paysans
plus bruns parlaient un langage incompréhensible, et
je regardais surtout ces femmes qui marchaient avec
un balancement de hanches inusité chez nos paysannes, portant sur leur tête des fardeaux, des gerbes,
ou de grandes buires de cuivre brillant. Toute mon
intelligence était tendue, vibrante, dangereusement
charmée par cette première révélation d'aspects étrangers et inconnus.

Vers le soir, au bord d'une de ces rivières du Midi
qui bruissent sur des lits plats de galets blancs, nous
arrivâmes à la petite ville singulière [36] qui était le but
de notre voyage. Elle avait encore ses vieilles portes
ogivales, ses hauts remparts à mâchicoulis, ses rues
bordées de maisons gothiques, et le rouge de sanguine
était la teinte générale de ses murailles.

Un peu intrigués et émus, nous cherchions des yeux
ces cousins dont nous ne connaissions même pas les
portraits, et qui sans doute guettaient notre arrivée,
viendraient à notre rencontre... Tout à coup, nous
vîmes paraître un grand jeune homme donnant le bras
à une jeune fille en robe de mousseline blanche ; alors,
sans la moindre hésitation réciproque, nous échan-
geâmes un signe de reconnaissance : nous nous étions
retrouvés.

A leur porte, sur les marches de leur seuil, l'oncle et
la tante nous attendaient, accueillants, et tous deux
ayant conservé dans leur vieillesse déjà grise les traces
d'une remarquable beauté. Ils avaient une vieille
maison Louis XIII, à l'angle d'une de ces places

régulières entourées de porches comme on en voit
dans beaucoup de petites villes du Midi. On entrait
d'abord dans un vestibule dallé de pierres un peu roses
et orné d'une énorme fontaine de cuivre rouge. Un
escalier des mêmes pierres, très large comme un
escalier de château, avec une curieuse rampe en fer
forgé, menait aux appartements en boiseries anciennes
de l'étage supérieur. Et le passé dont ces choses
évoquaient le souvenir, je le sentais différent de celui
de la Saintonge et de l'île, — le seul avec lequel je me
fusse un peu familiarisé jusqu'à ce jour.

Après dîner, nous allâmes nous asseoir tous ensemble au bord de la rivière bruissante, sur une prairie,
parmi des centaurées et des marjolaines qu'on devinait
dans l'obscurité à leur pénétrante odeur. Il faisait très
chaud, très calme, et d'innombrables grillons chantaient. Il me sembla aussi que je n'avais encore vu nuit
si limpide, ni tant d'étoiles dans du bleu si profond.
La différence en latitude n'était cependant pas bien
grande, mais les brises marines, qui attiédissent nos
hivers, embrument aussi parfois nos soirées d'été ;
donc, ce ciel étoilé pouvait être plus pur en effet que
celui de mon pays, plus *méridional*.

Et autour de moi, montaient dans l'air de grandes
silhouettes bleuâtres que je ne pouvais me lasser de
contempler : les montagnes jamais vues, me donnant
cette impression de dépaysement que j'avais tant
désirée, m'indiquant que mon premier petit rêve était
bien réellement accompli...

Je devais revenir passer plusieurs étés dans ce
village et m'y acclimater au point d'apprendre le
patois méridional que les bonnes gens y parlaient. En
somme les deux pays de mon enfance ont été la
Saintonge et celui-là, ensoleillés tous deux.

La Bretagne, que beaucoup de gens me donnent
pour patrie, je ne l'ai vue que bien plus tard, à dix-sept
ans, et j'ai été très long à l'aimer, — ce qui fait sans
doute que je l'ai aimée davantage. Elle m'avait causé
d'abord une oppression et une tristesse extrêmes ; ce
fut mon frère Yves qui commença de m'initier à son

charme mélancolique, de me faire pénétrer dans l'intimité de ses chaumières et de ses chapelles des bois. Et ensuite, l'influence qu'une jeune fille du pays de Tréguier exerça sur mon imagination, très tard, vers mes vingt-sept ans, décida tout à fait mon amour pour cette patrie adoptée [37].

XLIII

Le lendemain de mon arrivée chez l'oncle du Midi,
on me présenta comme camarades les petits Peyral[38],
qui portaient, suivant l'usage du pays, des surnoms
précédés d'un article déterminatif. C'étaient la Maricette et la Titi, deux petites filles de dix à onze ans
(toujours des petites filles), et le Médou, leur frère
cadet, presque un bébé qui comptait peu.

Comme j'étais en somme plus enfant que mes douze
ans, — malgré ces aperçus que j'avais peut-être sur
des choses situées au-delà du champ ordinaire de la
vue des petits, — nous formâmes tout de suite une
bande des plus sympathiques, et notre association
dura même plusieurs étés.

Sur tous les coteaux d'alentour, le père de ces petits
Peyral possédait des bois, des vignes, où nous
devînmes les maîtres absolus ; personne n'y contrôlait
nos entreprises, même les plus saugrenues. Dans ce
village en pleine campagne, où nos familles étaient si
respectées par les paysans d'alentour, on jugeait qu'il
n'y avait aucun inconvénient à nous laisser errer à
l'aventure. Nous partions donc tous les quatre dès le
matin, pour des expéditions mystérieuses, pour des
dînettes dans les vignes éloignées ou des chasses aux
papillons introuvables ; enrôlant même quelquefois
des petits paysans quelconques, toujours prêts à nous
suivre avec soumission. Et, après la surveillance de
tous les instants à laquelle j'avais été habitué jusque-

là, une liberté pareille devenait un changement délicieux. Une vie toute nouvelle d'indépendance et de grand air commençait pour moi dans ces montagnes ; mais je pourrais presque dire que c'était la continuation de ma solitude, car j'étais l'aîné de ces enfants qui partageaient mes jeux très fantasques, et il y avait des abîmes entre nous dans le domaine des conceptions intellectuelles, du rêve...

J'étais d'ailleurs le chef incontesté de la troupe ; la Titi seule avait quelques révoltes tout de suite apaisées ; gentiment ils ne songeaient tous qu'à me faire plaisir, et cela m'allait, de dominer ainsi.

C'est la première petite bande que j'aie menée. Plus tard, pour mes amusements, j'en ai eu bien d'autres, moins faciles à conduire ; mais, de tout temps, j'ai préféré les composer ainsi d'êtres plus jeunes que moi, plus jeunes d'esprit surtout, plus simples, ne contrôlant pas mes fantaisies et ne souriant jamais de mes enfantillages.

Comme devoirs de vacances on m'avait simplement imposé de lire *Télémaque* (mon éducation, on le voit, avait des côtés un peu surannés). C'était dans une petite édition du XVIIIe siècle, en plusieurs volumes. Et, par extraordinaire, cela ne m'ennuyait pas trop ; je voyais assez nettement la Grèce, la blancheur de ses marbres sous son ciel pur, et mon esprit s'ouvrait à une conception de l'antiquité qui était bien plus païenne sans doute que celle de Fénelon : Calypso et ses nymphes me charmaient...

Pour lire, je m'isolais des petits Peyral quelques instants chaque jour, dans deux endroits de prédilection : le jardin de mon oncle et son grenier.

Sous la haute toiture Louis XIII, dans toute la longueur de la maison, s'étendait ce grenier immense, aux lucarnes toujours fermées, constamment obscur. Les vieilleries des siècles passés, qui dormaient là, sous de la poussière et des arantèles, m'avaient attiré dès les premiers jours ; puis, peu à peu, j'avais pris l'habitude d'y monter clandestinement, avec mon *Télémaque*, après le dîner de midi, sûr qu'on ne viendrait pas m'y chercher. A cette heure d'ardent soleil, il semblait, par contraste, qu'il y fît presque nuit. J'ouvrais sans bruit l'auvent d'une des lucarnes, d'où jaillissait alors un flot d'éblouissante lumière ; puis, m'avançant sur le toit, je m'accoudais contre les vieilles ardoises chaudes garnies de mousses dorées, et je me mettais à lire. A portée de ma main, séchaient sur ce même toit des milliers de *prunes d'Agen*, provisions d'hiver étalées dans des claies en roseaux ; surchauffées au soleil, ridées, cuites et recuites, elles étaient exquises ; elles embaumaient tout le grenier de leur odeur ; et des abeilles, des guêpes, qui en mangeaient à discrétion comme moi, tombaient alentour, les pattes en l'air, pâmées d'aise et de chaleur. Et, sur tous les toits centenaires du voisinage, entre tous les vieux pignons gothiques, d'autres claies semblables apparaissaient, jusque dans le lointain, couvertes des mêmes prunes, visitées par les mêmes bourdonnantes abeilles.

On voyait aussi, en enfilade, les deux rues qui aboutissaient à la maison de mon oncle ; bordées de maisons du moyen âge, elles se terminaient chacune par une porte ogivale percée dans le haut mur d'enceinte en pierres rouges. Tout le village était alourdi et chaud, silencieux dans la torpeur du midi d'été ; on n'entendait que le bruit confus des innombrables poules et des innombrables canards, picorant les immondices desséchées des rues. Et au loin, les montagnes, inondées de soleil, s'élevaient dans l'immobile ciel bleu.

Je lisais *Télémaque* à très petites doses ; trois ou quatre pages suffisaient à ma curiosité, et mettaient du reste ma conscience en repos pour la journée ; puis, vite je descendais retrouver mes petits amis, et nous partions ensemble pour les vignes et pour les bois.

Ce jardin de mon oncle, dont je faisais aussi un lieu de retraite, n'attenait pas à la maison ; il était, comme tous les autres jardins, situé en dehors des remparts gothiques du village. Des murs assez hauts l'entouraient, et on y entrait par une antique porte ronde que fermait une énorme clef. A certains jours, j'allais m'isoler là, emportant *Télémaque* et ma papillonnette.

Il y avait plusieurs pruniers, d'où tombaient, trop mûres, sur la terre brûlante, ces mêmes délicieuses prunes qu'on mettait sécher sur les toits ; le long des vieilles allées couraient des vignes dont les raisins

musqués étaient dévorés par des légions de mouches et
d'abeilles. Et tout le fond, — car il était très grand, ce
jardin, — était abandonné à des luzernes, comme un
simple champ.

Le charme de ce vieux verger était de s'y sentir
enclos, enfermé à double tour, absolument seul dans
beaucoup d'espace et de silence.

Et enfin il me faut parler de certain berceau qui s'y
trouvait et où se passa, deux étés plus tard, le fait
capital de ma vie d'enfant. Il était adossé au mur
d'enceinte et couvert d'une treille de muscat toujours
grillée par le soleil. Il me donnait, sans que je pusse
bien définir pourquoi, une impression de « pays
chaud ». (Et en effet, dans des jardinets des colonies,
j'ai vraiment retrouvé plus tard ces mêmes senteurs
lourdes et ces mêmes aspects.) Il était visité de temps
en temps par des papillons rares, jamais rencontrés
ailleurs, qui, vus de face, étaient tout simplement
jaunes et noirs, mais qui, regardés en côté, luisaient de
beaux reflets de métal bleu, tout à fait comme ces
exotiques de la Guyane, piqués dans les vitrines de
l'oncle au musée. Très méfiants, très difficiles à
attraper, ils se posaient un instant sur les graines
parfumées des muscats, puis se sauvaient par-dessus le
mur ; moi, alors, mettant un pied dans une brèche des
pierres, je me hissais jusqu'au faîte, pour les regarder
fuir, à travers la campagne accablée et silencieuse ; et
je restais là un long moment accoudé en contemplation
des lointains : tout autour de l'horizon s'élevaient les
montagnes boisées, ayant çà et là des débris de
châteaux, des tours féodales sur leurs cimes ; et en
avant, au milieu des champs de maïs ou de blé noir,
apparaissait le *domaine de Bories*, avec son vieux
porche cintré, le seul des environs qui fût blanchi à la
chaux comme une entrée de ville d'Afrique.

Ce domaine, m'avait-on dit, appartenait aux petits
de Sainte-Hermangarde, de futurs compagnons de jeux
dont on m'annonçait l'arrivée prochaine, mais que je
redoutais presque de voir venir, tant ma bande avec
les petits Peyral me semblait suffisante et bien choisie.

Castelnau ! c'est un nom ancien qui évoque pour moi des images de soleil, de lumière pure sur des hauteurs, de calme mélancolique dans des ruines, de recueillement devant des splendeurs mortes ensevelies depuis des siècles.

Sur une des montagnes boisées environnantes, ce vieux château de Castelnau était perché, découpant en l'air l'amas rougeâtre de ses terrasses, de ses remparts, de ses tours et de ses tourelles.

Du jardin de mon oncle on le voyait, passant sa tête lointaine au-dessus des murs d'enceinte.

C'était du reste le point marquant dans tout le pays d'alentour, la chose qu'on regardait malgré soi de partout : cette dentelure de pierres de couleur de sanguine émergeant d'un fouillis d'arbres, cette ruine posée en couronne sur un piédestal garni d'une belle verdure de châtaigniers et de chênes.

Dès le jour de mon arrivée, j'avais aperçu cela du coin de l'œil, très étonné et attiré par ce vieux nid d'aigle, qui avait dû être tellement superbe, au sombre moyen âge. Or, c'était précisément une coutume d'été dans la famille de mon oncle de s'y rendre deux ou trois fois par mois, pour dîner et passer la journée chez le propriétaire : un vieux prêtre, qui habitait là-haut un pavillon confortable accroché au flanc des ruines.

Il y avait fête et féerie pour moi, ces jours-là.

Tous ensemble, on partait, assez matin pour être

sorti de la plaine chaude avant les heures ardentes.
Aussitôt arrivé à la base de la montagne, on trouvait la
fraîcheur et l'ombre de ce bois qui la couvrait de son
beau manteau vert. Sous une voûte de grands chênes,
sous une feuillée touffue, on montait, on montait, par
des chemins en zigzags, toute la famille à la file et à
pied, formant serpent, comme ces pèlerins qui se
rendent à des abbayes solitaires sur des cimes, dans les
dessins moyen âge de Gustave Doré. Çà et là, entre
des fougères, des petites sources suintaient et formaient des ruisseaux sur la terre rougeâtre ; entre les
arbres, on commençait à avoir par instants des échap-
pées de vue très profondes. Enfin, atteignant le
sommet, on traversait le plus vieux et le plus étrange
des villages, qui se tenait perché là depuis des siècles ;
et on sonnait au petit portail du prêtre. Son jardinet et
sa maison étaient surplombés par le château, par tout
le chaos des murailles et des tours rouges, ébréchées,
fendillées, croulantes. Une immense paix semblait
sortir de ces ruines aériennes, un immense silence
semblait s'en dégager, qui planait, intimidant, sur
toutes les choses du voisinage...

Toujours très longs, les dîners que donnait ce bon
vieux prêtre ; souvent même, c'étaient des bombances
méridionales auxquelles plusieurs des notables de la
région étaient conviés. Dix ou quinze plats se succédaient, accompagnés des fruits les plus dorés, les plus
beaux, et des vins les plus choisis parmi ceux que
la contrée produisait si abondamment en ce temps-
là.

On restait à table plusieurs heures d'affilée par les
chaudes après-midi d'août ou de septembre, et moi,
seul enfant dans la compagnie, je ne tenais pas en
place, troublé surtout par le voisinage écrasant de ce
château : dès le second service, je demandais la
permission de m'en aller. Une vieille servante sortait
alors avec moi et venait m'ouvrir la première porte des
murailles féodales de Castelnau ; puis elle me confiait
les clefs des immenses ruines et je m'y enfonçais seul,
avec une délicieuse crainte, par un chemin déjà

familier, franchissant des portes à pont-levis, des remparts qui se superposaient.

Donc, j'étais seul et pour de longs moments, assuré de ne voir paraître personne avant une heure ou deux ; libre d'errer au milieu de ce dédale, maître dans ce haut et triste domaine. Oh ! les moments de rêve que j'y ai passés !... D'abord je faisais le tour des terrasses, surplombant l'abîme des bois vus par en dessus ; des étendues infinies se déroulaient de tous côtés ; des rivières traçaient çà et là sur les lointains des lacets d'argent, et, à travers l'atmosphère limpide de l'été, mes yeux plongeaient jusque dans des provinces voisines. Beaucoup de calme semblait répandu sur ce recoin de France, qui vivait de sa petite vie propre, un peu comme au bon vieux temps, et qu'aucune ligne de chemin de fer ne traversait encore...

Puis je pénétrais dans l'intérieur des ruines, dans les cours, les escaliers, les galeries vides ; je montais dans les tours, faisant lever des vols de pigeons, ou bien dérangeant de leur sommeil des chauves-souris et des chouettes. Il y avait au premier étage des enfilades de salles immenses, encore couvertes, obscures, auvents toujours fermés, où je m'enfonçai avec de délicieuses terreurs, écoutant le bruit de mes pas dans cette sonorité sépulcrale ; je passais en revue les étranges peintures gothiques, les fresques effacées, ou les ornements encore dorés, chimères et guirlandes de bizarres fleurs, ajoutés là à l'époque de la Renaissance ; tout un passé de fantastique et farouche magnificence, agrandi jusqu'à l'épouvante, m'apparaissait alors noyé dans un vague de lointain, mais très éclairé, par ce même soleil du Midi qui chauffait autour de moi les pierres rouges de ces ruines abandonnées. Et, à présent que je remets ce Castelnau à son vrai point, le regardant en souvenir avec mes yeux qui ont entrevu toutes les splendeurs de la terre, je continue de penser que ce château enchanté de mon enfance était bien, dans son site charmant, un des plus somptueux débris de la France féodale...

Oh ! dans une tour, certaine chambre avec poutrel-

les bleu de roi semées de rosaces et de blasons d'or !...
Aucun lieu ne m'a jamais apporté une plus intime
impression de moyen âge ! Au milieu de ce silence de
nécropole, accoudé là, seul, à une petite fenêtre aux
épaisses parois, je contemplais les lointains verdoyants
d'en dessous, cherchant à me représenter, sur ces
sentiers aperçus à vol d'oiseau, des chevauchées
d'hommes d'armes, ou des cortèges de nobles châte-
laines en hennin... Et, pour moi, élevé dans les plaines
unies, un des plus singuliers charmes de ce lieu était ce
grand vide bleuâtre des lointains, qu'on apercevait par
toutes les ouvertures, meurtrières, trous quelconques
des appartements ou des tours, et qui, tout de suite,
me donnait le sentiment si nouveau des excessives
hauteurs.

XLVI

Les lettres de mon frère, écrites serré sur leur papier très mince, continuaient d'arriver de temps à autre, sans régularité, au hasard des navires à voiles qui passaient par là-bas, dans le Grand Océan. Il y en avait de particulières pour moi, de bien longues même, avec d'inoubliables descriptions. Déjà je savais plusieurs mots de la langue d'Océanie aux consonances douces ; dans les rêves de mes nuits, je voyais souvent l'île délicieuse et m'y promenais ; elle hantait mon imagination comme une patrie chimérique, désirée ardemment mais inaccessible, située sur une autre planète.

Or, pendant notre séjour chez les cousins du Midi, une de ces lettres à mon adresse me parvint, réexpédiée par mon père.

J'allai la lire sur le toit du grenier, du côté où séchaient les prunes. Il me parlait longuement d'un lieu appelé Fataüa, qui était une vallée profonde entre d'abruptes montagnes ; « une demi-nuit perpétuelle y régnait, sous de grands arbres inconnus, et la fraîcheur des cascades y entretenait des tapis de fougères rares »... oui... j'entrevoyais cela très bien, beaucoup mieux, à présent que j'avais, moi aussi, autour de moi des montagnes et des vallées humides remplies de fougères... Du reste, c'était décrit d'une façon précise et complète : il ne se doutait pas, mon frère, de la séduction dangereuse que ses lettres exerçaient déjà

sur l'enfant qu'il avait laissé si attaché au foyer
familial, si tranquille, si religieux...

« C'était seulement dommage, me disait-il en termi-
nant, que l'île délicieuse n'eût pas une porte de sortie
donnant quelque part sur la cour de notre maison, sur
le grand berceau de chèvrefeuille, par exemple, derrière les grottes du bassin... »

Cette idée d'une sortie dérobée ouvrant dans le mur
de notre fond de cour, ce rapprochement surtout entre
ce petit bassin construit par mon frère et la lointaine
Océanie, me frappèrent singulièrement et, la nuit
suivante, voici quel fut mon rêve :

J'entrais dans cette cour ; c'était par un crépuscule
de mort, comme après que le soleil se serait éteint
pour jamais ; il y avait dans les choses, dans l'air, une
de ces indicibles désolations de rêve, qu'à l'état de
veille on n'est même plus capable de concevoir.

Arrivé au fond, près de ce petit bassin tant aimé, je
me sentis m'élever de terre comme un oiseau qui
prend son vol. D'abord, je flottai indécis comme une
chose trop légère, puis je franchis le mur vers le sud-
ouest, dans la direction de l'Océanie ; je ne me voyais
point d'ailes, et je volais couché sur le dos, dans une
angoisse de vertige et de chute ; je prenais une
effroyable vitesse, comme celle des pierres de fronde,
des astres fous tournoyant dans le vide ; au-dessous de
moi fuyaient des mers et des mers, blêmes et confuses,
toujours par ce même crépuscule de monde qui va
finir... Et, après quelques secondes, subitement, les
grands arbres de la vallée de Fataüa m'entourèrent
dans l'obscurité : j'étais arrivé.

Là, dans ce site, je continuai de rêver, mais en
cessant de croire à mon rêve, — tant l'impossibilité
d'être jamais réellement là-bas s'imposait à mon
esprit, — et puis, trop souvent, j'avais été dupe de ces
visions-là, qui s'en allaient toujours avec le sommeil.
Je redoutais seulement de me réveiller, tant cette
illusion, même incomplète, me ravissait ainsi. Cependant, les tapis de fougères rares étaient bien là ; dans la
nuit plus épaisse, presque à tâtons, j'en cueillais, en

me disant : « Au moins ces plantes, elles doivent être réelles après tout, puisque je les touche, puisque je les ai dans ma main ; elles ne pourront pas s'envoler quand mon rêve s'évanouira. » Et je les serrais de toutes mes forces, pour être plus sûr de les retenir...

Je me réveillai. Le beau jour d'été se levait ; dans le village, les bruits de la vie étaient commencés : le continuel jacassement des poules, déjà en promenade par les rues, et le va-et-vient du métier des tisserands, me rendant du premier coup la notion du lieu où j'étais. Ma main vide restait encore fermée, crispée, les ongles presque marqués sur la chair, pour mieux garder l'imaginaire bouquet de Fataüa, l'impalpable rien du rêve...

XLVII

Très vite je m'étais attaché à mon grand cousin et à ma grande cousine de là-bas, les tutoyant comme si je les avais toujours connus. Je crois qu'il faut le lien du sang pour créer de ces intimités d'emblée, entre gens qui, la veille, ignoraient même l'existence les uns des autres. J'aimais aussi mon oncle et ma tante ; ma tante surtout, qui me gâtait un peu, qui était extrêmement bonne et belle à regarder encore, malgré ses soixante ans, malgré ses cheveux tout gris, sa mise de grand' mère. Elle était une personne comme il n'en existera bientôt plus, à notre époque où tout se nivelle et tout se ressemble. Née dans les environs, d'une des familles les plus anciennes, elle n'était jamais sortie de cette province de France ; ses manières, son hospitalité aimable, sa courtoisie, portaient un cachet local, et ce détail était pour me plaire.

Par opposition avec mon petit passé calfeutré, je vivais ici complètement dehors, dans les chemins, sur les portes, dans les rues.

Et elles étaient étranges et charmantes pour moi, ces rues étroites, pavées de cailloux noirs comme en Orient, et bordées de maisons gothiques ou Louis XIII.

Je connaissais à présent tous les recoins, places, carrefours, ruelles de ce village, et la plupart des bonnes gens campagnards qui y habitaient.

Ces femmes qui passaient devant la maison de mon

oncle, paysannes avec des goitres, revenant des champs et des vignes avec des corbeilles de fruits sur la tête, s'arrêtaient toujours pour m'offrir les raisins les plus dorés, les plus délicieuses pêches.

Et j'étais charmé aussi de ce patois méridional, de ces chants montagnards, de tout cet incontestable dépaysement, dont l'impression me revenait de partout à la fois.

Encore aujourd'hui, quand il m'arrive de jeter les yeux sur quelqu'un de ces objets que je rapportais de là-bas pour mon musée, ou sur quelqu'une de ces petites lettres que j'écrivais chaque jour à ma mère, je sens tout à coup comme du soleil, de l'étrangeté neuve, des odeurs de fruits du Midi, de l'air vif de montagne, et je vois bien alors qu'avec mes longues descriptions, dans ces pages mortes, je n'ai rien su mettre de tout cela.

XLVIII

Ces petits de Sainte-Hermangarde, dont on m'avait depuis si longtemps parlé, arrivèrent à la mi-septembre. Leur château de Sainte-Hermangarde était situé au nord, du côté de la Corrèze ; et ils venaient tous les ans passer ici l'automne, dans un très vieil hôtel délabré qui touchait à l'habitation de mon oncle.

Deux garçons cette fois, et un peu mes aînés. Mais, contrairement à ce que j'avais craint, leur compagnie me plut tout de suite. Habitués à vivre une partie de l'année à la campagne sur leurs terres, ils avaient déjà des fusils, de la poudre ; ils chassaient. Ils apportèrent donc dans mes jeux une note tout à fait nouvelle. Leur domaine de Bories devint un de nos centres d'opérations ; là tout était à nos ordres, les gens, les bêtes et les granges. Et un de nos amusements favoris pendant cette fin de vacances fut de construire d'énormes ballons de papier de deux ou trois mètres de haut que nous gonflions en brûlant au-dessous des gerbes de foin, et puis que nous regardions s'élever, partir, se perdre au loin dans les champs ou les bois.

Mais ces petits de Sainte-Hermangarde étaient, eux aussi, des enfants un peu à part, élevés par un précepteur dans des idées différentes de celles qui se prennent au lycée ; quand il y avait divergence d'avis entre nous pour ces jeux, c'était à qui céderait par courtoisie ; et alors leur contact ne pouvait guère me préparer aux froissements de l'avenir.

Or, un jour, ils vinrent gentiment me faire cadeau d'un papillon fort rare : le « citron-aurore », qui est d'un jaune pâle un peu vert, comme le « citron » commun, mais qui porte, sur les ailes supérieures, une sorte de nuage délicieusement rose, d'une teinte de soleil levant. C'était, disaient-ils, dans leur domaine de Bories, sur les regains d'automne, qu'ils venaient de le prendre — avec tant de précautions du reste qu'aucune trace de leurs doigts n'apparaissait sur ses couleurs fraîches. Et quand je le reçus de leurs mains, vers midi, dans le vestibule de la maison de mon oncle, toujours fermé dans la journée à cause de la lourde chaleur du dehors, on entendait, à la cantonade, mon grand cousin qui chantait, d'une voix atténuée en fausset plaintif de montagnard. Il se faisait quelquefois cette voix-là, qui me causait maintenant une mélancolie étrange dans le silence des derniers midis de septembre. Et c'était toujours pour recommencer la même vieille chanson : « Ah ! ah ! la bonne histoire... » qu'il laissait aussitôt mourir sans l'achever jamais. A partir de ce moment donc, le domaine de Bories, le papillon aurore, et le petit refrain mélancolique de la « bonne histoire » furent inséparablement liés dans mon souvenir...

Vraiment, je crains de parler trop souvent de ces associations incohérentes d'images qui m'étaient jadis si habituelles ; c'est la dernière fois, je n'y reviendrai plus. Mais on verra combien il était important, pour ce qui va suivre, de noter encore cette association-là.

XLIX

Nous revînmes au commencement d'octobre. Mais un événement bien pénible pour moi marqua ce retour : on me mit au collège[39] ! Comme externe bien entendu ; et encore allait-il sans dire que je serais toujours conduit et ramené, par crainte des mauvaises fréquentations. Mon temps d'études universitaires devait se réduire à quatre années de l'externat le plus libre et le plus fantaisiste.

Mais c'est égal, à partir de cette date fatale, mon histoire se gâte beaucoup.

La rentrée était à deux heures de l'après-midi, et par une de ces délicieuses journées d'octobre, chaudes, tranquillement ensoleillées, qui sont comme un adieu très mélancolique de l'été. Il eût fait si beau, hélas ! là-bas, sur les montagnes, dans les bois effeuillés, dans les vignes roussies !

Au milieu d'un flot d'enfants qui parlaient tous à la fois, je pénétrai dans ce lieu de souffrance. Ma première impression fut toute d'étonnement et de dégoût, devant la laideur des murs barbouillés d'encre, et devant les vieux bancs de bois luisants, usés, taillardés à coups de canif, où l'on sentait que tant d'écoliers avaient souffert. Sans me connaître, ils me tutoyaient, mes nouveaux compagnons, avec des airs protecteurs ou même narquois ; moi, je les dévisageais timidement, les trouvant effrontés et, pour la plupart, fort mal tenus.

J'avais douze ans et demi, et j'entrais en troisième ;
mon professeur particulier avait déclaré que j'étais de
force à suivre, si je voulais, bien que mon petit savoir
fût très inégal. On composait ce premier jour, en
version latine, pour le classement d'entrée, et je me
rappelle que mon père m'attendait lui-même assez
anxieusement à la sortie de cette séance d'essai. Je lui
répondis que j'étais second sur une quinzaine, étonné
qu'il parût attacher tant d'importance à une chose qui
m'intéressait si peu. Ça m'était bien égal à moi ! Navré
comme j'étais, en quoi ce détail pouvait-il m'atteindre ?

Plus tard, du reste, je n'ai pas connu davantage
l'émulation. Être dernier m'a toujours paru le moindre des maux qu'un collégien est appelé à souffrir.

Les semaines qui suivirent furent affreusement
pénibles. Vraiment je sentais mon intelligence se
rétrécir sous la multiplicité des devoirs et des pensums ; même le champ de mes petits rêves se fermait
peu à peu. Les premiers brouillards, les premières
journées grises ajoutaient à tout cela leur désolée
tristesse. Les ramoneurs savoyards étaient aussi revenus, poussant leur cri d'automne, qui déjà, les années
précédentes, me serrait le cœur à me faire pleurer.
Quand on est enfant, l'approche d'un hiver amène des
impressions irraisonnées de fin de toutes choses, de
mort par le sombre et par le froid ; les durées semblent
si longues, à cet âge, qu'on n'entrevoit même pas le
renouveau d'après qui ramènera tout.

Non, c'est quand on est déjà pas mal avancé dans la
vie et qu'il faudrait au contraire faire plus de cas de ses
saisons comptées, c'est seulement alors qu'on regarde
un hiver comme rien.

J'avais un calendrier où j'effaçais lentement les
jours ; vraiment, au début de cette année de collège,
j'étais oppressé par la perspective de tant de mois, et
de mois interminables comme ils étaient alors, dont il
faudrait subir le passage avant d'atteindre seulement
ces vacances de Pâques, ce répit de huit jours dans
l'ennui et la souffrance ; j'étais sans courage, parfois

j'avais des instants de désespoir, devant la longueur traînante du temps.

Bientôt le froid, le vrai froid vint, aggravant encore les choses. Oh! ces retours du collège, les matins de décembre, quand pendant deux mortelles heures on s'était chauffé à l'horrible charbon de terre, et qu'il fallait subir le vent glacé de la rue pour rentrer chez soi! Les autres petits gambadaient, sautaient, se poussaient, savaient faire des glissades quand par hasard les ruisseaux étaient gelés... Moi, je ne savais pas, et puis cela m'eût semblé de la plus haute inconvenance; du reste on me ramenait et je revenais posément, transi; humilié d'être conduit, raillé quelquefois par les autres, pas populaire parmi ceux de ma classe, et dédaigneux de ces compagnons de chaîne avec lesquels je ne me sentais pas une idée commune.

Le jeudi même, il y avait des devoirs qui duraient tout le jour. Des pensums aussi, d'absurdes pensums, que je bâclais d'une affreuse écriture déformée, ou par lesquels j'essayais toutes les ruses écolières, décalcages et porte-plumes à cinq becs.

Et dans mon dégoût de la vie, je ne me soignais même plus; je recevais maintenant des remontrances pour être mal peigné, pour avoir les mains sales (d'encre s'entend)... Mais si j'insistais, je finirais par mettre dans mon récit tout le pâle ennui de ce temps-là.

L

« *Gâteaux ! gâteaux ! mes bons gâteaux tout chauds !* »
Elle avait repris ses courses nocturnes, son pas rapide
et son refrain, la bonne vieille marchande. Régulière
comme un automate, elle passait, avec le même
empressement, aux mêmes heures. Et les longues
veillées d'hiver étaient recommencées, pareilles à
celles de tant d'années précédentes, pareilles encore à
celles de deux ou trois années qui suivirent.

A huit heures toujours, les dimanches soir, arrivaient nos voisins les D***, avec Lucette, et d'autres
voisins aussi, avec une toute petite fille appelée
Marguerite qui venait de se glisser dans mon intimité.

Cette année-là, un nouveau divertissement fut inauguré, pour la clôture de ces soirées des dimanches
d'hiver sur lesquelles flottait plus attristante que
jamais la pensée des devoirs du lendemain. Après le
thé, quand je pressentais que c'était fini, qu'on allait
partir, j'entraînais cette petite Marguerite dans la salle
à manger, et nous nous mettions à courir comme des
fous autour de la table ronde, faisant à qui attraperait
l'autre, avec une espèce de rage. Elle était tout de suite
attrapée, cela va sans dire, moi presque jamais ; aussi
était-ce toujours elle qui poursuivait, et avec acharne-
ment, en frappant des mains sur la table, en criant, en
menant un tapage d'enfer. A la fin, les tapis étaient
retournés, les chaises dérangées, tout au pillage. Nous
trouvions cela stupide, nous les premiers, — et c'était

du reste beaucoup plus enfant que mon âge. Je ne
savais même rien de mélancolique comme ce jeu des
fins de dimanche, sur lequel planait l'effroi de recommencer demain matin la pénible série des classes.
C'était simplement une manière de prolonger *in
extremis* cette journée de trêve; une manière de
m'étourdir à force de bruit. C'était aussi comme un
défi jeté à ces devoirs qui n'étaient jamais faits, qui
pesaient sur ma conscience, qui troubleraient bientôt
mon sommeil, et qu'il faudrait bâcler avec fièvre
demain matin dans ma chambre, à la lueur d'une
bougie, ou à l'aube grise et glacée, avant l'heure
odieuse de repartir pour le collège.

On était un peu consterné, au salon, d'entendre de
loin cette bacchanale; de voir surtout qu'elle m'amusait maintenant plus que les sonates à quatre mains,
plus que la « belle bergère » ou les « propos discor-
dants ».

Et ce tournoiement triste autour de cette table fut
recommencé tous les dimanches, sur la pointe de six
heures et demie, pendant au moins deux hivers... Le
collège ne me valait rien décidément, et encore moins
les pensums; tout cela, qui m'avait pris trop tard et à
rebours, me diminuait, m'éteignait, m'abêtissait.
Même au point de vue du frottement avec mes pareils,
le but qu'on avait cru atteindre était manqué aussi
complètement que possible. Peut-être, si j'avais par-
tagé leurs jeux et leurs bousculades... Mais je ne les
voyais jamais qu'en classe, sous la férule des professeurs, c'était insuffisant; j'étais déjà devenu un petit
être trop spécial pour rien prendre de leur manière;
alors je m'enfermais et m'accentuais encore plus dans
la mienne. Presque tous plus âgés et plus développés
que moi, ils étaient beaucoup plus délurés aussi, et
plus avancés pour les choses pratiques de la vie; de là
chez eux une sorte de pitié et d'hostilité vis-à-vis de
moi, que je leur rendais en dédain, sentant combien ils
auraient été incapables de me suivre dans certaines
envolées de mon imagination.

Avec les petits paysans des montagnes ou les petits

pêcheurs de l'île je n'avais jamais été fier ; nous nous
entendions par des côtés communs de simplicité un
peu primitive et d'extrême enfantillage ; à l'occasion,
j'avais joué avec eux comme avec des égaux. Tandis
que j'étais fier avec ces enfants du collège, qui, eux,
me trouvaient bizarre et poseur. Il m'a fallu bien des
années pour corriger cet orgueil, pour redevenir
simplement quelqu'un comme tout le monde ; surtout
pour comprendre qu'on n'est pas au-dessus de ses
semblables, parce que — pour son propre malheur —
on est prince et magicien dans le domaine du rêve...

LI

Le théâtre de Peau-d'Ane, très agrandi en profondeur, avec une série prolongée de portants, était maintenant monté à poste fixe chez tante Claire. La petite Jeanne, plus intéressée depuis les nouveaux déploiements de mise en scène, venait plus souvent; elle peignait des fonds, sous mes ordres, et j'aimais ces moments-là où je reprenais sur elle toute ma supériorité. Nous possédions maintenant, dans nos réserves, de pleines boîtes de personnages ayant chacun leur nom et leur rôle, et, pour les défilés fantastiques, des régiments de monstres, de bêtes, de gnomes, modelés en pâte et peints à l'aquarelle.

Je me souviens de notre satisfaction, de notre enthousiasme, le jour où fut essayé le grand décor circulaire sans portants qui représentait le « vide ». Des petits nuages roses, éclairés par côté au jour frisant, erraient dans une étendue bleue que des voiles de gaze rendaient indécise. Et le char d'une fée aux cheveux de soie, traîné par deux papillons, s'avançait au milieu, soutenu par d'invisibles fils.

Cependant rien n'aboutissait complètement, parce que nous ne savions pas nous borner; c'étaient chaque fois des conceptions nouvelles, toujours de plus étonnants projets, et la répétition générale était reculée de mois en mois, jusque dans un avenir improbable...

Toutes les entreprises de ma vie auront, ou ont eu déjà, le sort de cette Peau-d'Ane...

LII

Parmi ces professeurs qui sévirent si cruellement contre moi pendant mes années de collège — et qui avaient tous des surnoms — les plus terribles, sans contredit, furent le Bœuf Apis et le Grand-Singe-Noir. (J'espère que s'ils lisaient ceci, ils comprendraient à quel point de vue enfantin je me replace pour l'écrire. Si je les retrouvais aujourd'hui, j'irais sans nul doute à eux la main tendue, en m'excusant d'avoir été leur élève très indocile.)

Oh ! le Grand-Singe surtout, je le haïssais ! Quand du haut de sa chaire il laissait tomber cette phrase : « Vous me ferez cent lignes, vous, le petit sucré là-bas ! » je lui aurais sauté à la figure comme un chat outragé. Il a, le premier, éveillé en moi ces violences soudaines qui devaient faire partie de mon caractère d'homme et que rien ne laissait prévoir chez l'enfant plutôt patient et doux que j'étais.

Et cependant, il serait inexact de dire que j'aie été tout à fait un mauvais élève ; inégal plutôt, à surprises ; un jour premier, dernier le lendemain, mais restant en somme dans une moyenne acceptable, avec toujours, à la fin de l'année, les prix de version [40].

Rien que ceux-là, par exemple, — et je m'étonnais que tout le monde ne les eût pas, tant cela me semblait facile. J'avais au contraire le thème extrêmement rebelle ; la narration, encore davantage.

Je désertais de plus en plus mon propre bureau, et

c'était chez tante Claire, à côté de l'ours aux pralines, que je subissais avec plus de résignation la torture des devoirs ; sur le mur, dans un recoin caché de la boiserie de cette chambre, un portrait à la plume du Grand-Singe subsiste encore, avec d'autres bons-hommes de fantaisie ; l'encre a pâli, jauni, mais on les a respectés et, quand je les regarde, je retrouve encore du mortel ennui, de l'étouffement glacé, — des impressions de collège, enfin.

Tante Claire était plus que jamais ma ressource, par ces temps durs, cherchant toujours mes mots dans les dictionnaires et se condamnant même souvent à faire à ma place, d'une écriture imitée, les pensums du Grand-Singe.

LIII

— Apporte-moi, je te prie, le... deuxième... non, le
troisième... tiroir de ma chiffonnière.

C'est maman qui parle, s'amusant elle-même de ces
tiroirs qu'elle me demande chaque jour depuis des
années, — et quelquefois pour le seul plaisir de me les
demander, sans en avoir un besoin bien réel. (C'était
un des premiers services que j'avais su lui rendre étant
tout petit : lui apporter suivant les cas l'un ou l'autre
de ces tiroirs en miniature. Et la tradition nous en est
longtemps restée.)

A l'époque de ma vie où j'en suis arrivé, c'est
généralement le soir que se passe cette promenade de
tiroirs, à mon retour du collège, quand déjà le jour
baisse ; maman est assise à sa place accoutumée,
causant ou brodant près de sa fenêtre, sa corbeille à
ouvrage devant elle ; et la chiffonnière, dont les
différents compartiments lui deviennent tour à tour
utiles, est située assez loin, dans l'antichambre.

Une chiffonnière Louis XV, bien vénérable pour
avoir appartenu à nos grand-grand'mères. On y trouve
de très anciennes petites boîtes peinturlurées qui ont
dû être là de tout temps et que les doigts des aïeules
touchaient sans doute chaque jour. Il va sans dire que
je connais tous les secrets de ces compartiments,
maintenus dans un ordre immuable ; il y a l'étage des
soies, qui sont classées dans des sacs en rubans ; il y a
celui des aiguilles, celui des petites soutaches et celui

des petits crochets. Et l'arrangement de ces choses est tel encore sans doute que l'avaient conçu les aïeules dont ma mère a continué la sainte activité.

Apporter ces tiroirs de chiffonnière, a été une des joies, un des orgueils de ma première enfance, et rien n'a changé dans leur organisation depuis cette époquelà. Ils m'ont inspiré de tout temps le plus tendre respect ; ils sont absolument mêlés pour moi à l'image de ma mère et à tout ce que ces mains bienfaisantes, si agiles au travail, ont fabriqué de jolies petites choses, — jusqu'à la dernière de ses broderies, qui fut un mouchoir pour moi.

Vers mes dix-sept ans, après de terribles revers — à une époque tourmentée que ce récit n'embrassera pas, mais dont je puis bien parler puisque j'ai déjà tant de fois, dans de précédents chapitres, empiété sur l'avenir — il m'a fallu, pendant quelques mois, envisager la terreur de me séparer de cette maison familiale et de ce qu'elle contenait de si précieux ; alors, dans les moments où je me mettais à passer en revue, avec un recueillement funèbre, tous les souvenirs qui allaient m'être arrachés, une de mes cruelles angoisses était de me dire : « Jamais plus je ne reverrai l'antichambre où était cette chiffonnière, jamais plus je ne pourrai apporter à maman ces chers tiroirs... »

Et sa corbeille à ouvrage, toujours celle d'autrefois, que je l'ai priée de ne jamais changer, même malgré un peu d'usure, — et les différents petits bibelots qui s'y trouvent, étuis, boîtes pour les aiguilles, écrous pour tenir les broderies ! — L'idée que je pourrai connaître un temps où les mains bien-aimées qui touchent journellement ces choses ne les toucheront jamais plus, m'est une épouvante horrible contre laquelle je ne me sens aucun courage. Tant que je vivrai, évidemment, on conservera tout tel quel, dans une tranquillité de reliques ; mais après, à qui écherra cet héritage qu'on ne comprendra plus ; que deviendront ces pauvres petits riens que je chéris ?

Cette corbeille à ouvrage de maman et ces tiroirs de chiffonnière, c'est sans doute ce que j'abandonnerai avec le plus de mélancolie et d'inquiétude, quand il faudra m'en aller de ce monde...

Très puéril en vérité, et j'en suis confus ; — cependant je crois que je pleure presque, en écrivant cela...

LIV

Avec le tracas toujours croissant des devoirs, depuis bien des mois je n'avais plus le temps de lire ma Bible, à peine de faire le matin ma prière.

Je continuais d'aller très régulièrement au temple chaque dimanche ; du reste nous y allions tous ensemble. Je respectais le banc de famille, depuis si longtemps connu, — et cette place conservera même toujours pour moi quelque chose d'à part, qui lui vient de ma mère.

C'était là cependant, au temple, que ma foi ne cessait de recevoir les atteintes les plus redoutables : celles du froid et de l'ennui. En général, les commentaires, les raisonnements humains, m'amoindrissaient toujours la Bible et l'Évangile, m'enlevaient des parcelles de leur grande poésie sombre et douce. Il était déjà très difficile de toucher à ces choses, devant un petit esprit comme le mien, sans les abîmer. Le culte de chaque soir en famille ramenait seul en moi un vrai recueillement religieux parce qu'alors les voix qui lisaient ou qui priaient m'étaient chères, et cela changeait tout.

Et puis, de mes contemplations continuelles des choses de la nature, de mes méditations devant les fossiles venus des montagnes ou des falaises et entassés dans mon musée, naissait déjà, au fin fond de moi-même, un vague panthéisme inconscient.

En somme, ma foi, encore très enracinée, très

vivante, était couverte à présent d'un voile de sommeil, qui la laissait capable de se réveiller à certaines heures, mais qui, en temps ordinaires, en annulait presque les effets. D'ailleurs, je me sentais troublé pour prier ; ma conscience, restée timorée, n'était jamais tranquille quand je me mettais à genoux, — à cause de mes malheureux devoirs toujours plus ou moins escamotés, à cause de mes rébellions contre le Bœuf Apis ou le Grand-Singe, que j'étais obligé de cacher, de déguiser quelquefois jusqu'à friser le mensonge. J'avais de cuisants remords de tout cela, des instants de détresse morale et alors, pour y échapper, je me jetais plus qu'autrefois dans des jeux bruyants et des fous rires ; à mes heures de conscience plus particulièrement troublée, n'osant pas affronter le regard de mes parents, c'était avec les bonnes que je me réfugiais, pour jouer à la paume, sauter à la corde, faire tapage.

Il y avait bien deux ou trois ans que j'avais cessé de parler de ma vocation religieuse et je comprenais à présent combien tout cela était fini, impossible ; mais je n'avais rien trouvé d'autre pour mettre à la place. Et quand des étrangers demandaient à quelle carrière on me destinait, mes parents, un peu anxieux de mon avenir, ne savaient que répondre ; moi encore bien moins...

Cependant mon frère, qui se préoccupait, lui aussi, de cet avenir indéchiffrable, émit un jour l'idée — dans une de ses lettres qui pour moi sentaient toujours les lointains pays enchantés — que le mieux serait de faire de moi un ingénieur, à cause de certaine précision de mon esprit, de certaine facilité pour les mathématiques, qui était, du reste, une anomalie dans mon ensemble. Et, après qu'on m'eut consulté et que j'eus répondu négligemment : « Je veux bien, ça m'est égal », la chose parut décidée.

Cette période pendant laquelle je fus destiné à l'École polytechnique dura un peu plus d'un an. Là ou ailleurs, qu'est-ce que cela pouvait me faire ? Quand je regardais les hommes d'un certain âge qui m'entouraient, même ceux qui occupaient les positions les plus honorables, les plus justement respectées auxquelles je pusse prétendre, et que je me disais : il faudra un jour être comme l'un d'eux, vivre utilement, posément, *dans un lieu donné, dans une sphère déterminée*, et puis vieillir, et ce sera tout... alors une désespérance sans bornes me prenait ; je n'avais envie de rien de possible ni de raisonnable ; j'aurais voulu plus que jamais rester un enfant, et la pensée que les années fuyaient, qu'il faudrait bientôt, bon gré, mal gré, être un homme, demeurait pour moi angoissante.

LV

Deux jours par semaine, pendant les classes d'histoire, j'étais mêlé aux élèves des cours de marine, qui portaient des ceintures rouges pour se donner des airs de matelots et qui dessinaient sur leurs cahiers des ancres ou des navires.

Je ne songeais point à cette carrière-là pour moi-même ; à peine deux ou trois fois y avais-je arrêté mon esprit, mais plutôt avec inquiétude : c'était la seule cependant qui pût m'attirer par tout son côté de voyages et d'aventures ; mais elle m'effrayait aussi plus qu'aucun autre, à cause de ses longs exils que la foi ne m'aiderait plus à supporter comme au temps de ma vocation de missionnaire.

S'en aller comme mon frère ; quitter pour des années ma mère et tous ceux que j'aimais ; pendant des années, ne pas voir ma chère petite cour reverdir au printemps, ni les roses fleurir sur nos vieux murs, non, je ne me sentais pas ce courage.

Surtout, il me semblait établi *a priori*, à cause sans doute de mon genre d'éducation, qu'un tel métier, si rude, ne pouvait être pour moi. Et je savais très bien d'ailleurs, par quelques mots prononcés en ma présence, que si l'idée folle m'en venait jamais, mes parents repousseraient cela bien loin, n'y consentiraient à aucun prix.

LVI

Très nostalgiques à présent, les impressions que me causait mon musée, quand j'y montais les jeudis d'hiver, après avoir fini mes devoirs ou mes pensums, et toujours un peu tard ; la lumière baissant déjà, l'échappée de vue sur les grandes plaines s'embrumant en un gris rosé extrêmement triste. Nostalgie de l'été, nostalgie du soleil et du Midi, amenée par tous ces papillons du jardin de mon oncle, qui étaient rangés là sous des verres, par tous ces fossiles des montagnes, qui avaient été ramassés là-bas en compagnie des petits Peyral.

C'était l'avant-goût de ces regrets d'*ailleurs*, qui plus tard, après les longs voyages aux pays chauds, devaient me gâter mes retours au foyer, mes retours d'hiver.

Oh ! il y avait surtout le papillon « citron aurore » ! A certains moments, j'éprouvais un amer plaisir à le fixer, pour approfondir et chercher à comprendre la mélancolie qui me venait de lui. Il était dans une vitrine du fond ; ses deux nuances si fraîches et si étranges, comme celle d'une peinture de Chine, d'une robe de fée, s'avivaient l'une par l'autre, formaient un ensemble lumineux quand venait le crépuscule gris et quand déjà les autres papillons ses voisins paraissaient ne plus être que de vilaines petites chauves-souris noirâtres.

Dès que mes yeux s'arrêtaient sur lui, j'entendais la

chanson traînante, somnolente, en fausset montagnard : « Ah ! ah ! la bonne histoire !... » puis je
revoyais le porche blanchi du domaine de Bories, au
milieu d'un silence de soleil et d'été. Alors un
immense regret me prenait des vacances passées ;
tristement je constatais le recul où elles étaient déjà
dans les temps accomplis et le lointain où se tenaient
encore les vacances à venir ; puis d'autres sentiments
inexpressibles m'arrivaient aussi, sortis toujours des
mêmes insondables dessous, et complétant un bien
étrange ensemble.

Ce rapprochement du papillon, de la chanson et de
Bories, continua longtemps de me causer des tristesses
que tout ce que j'ai essayé de dire n'explique pas
suffisamment ; cela dura jusqu'à l'époque où un grand
vent d'orage passa sur ma vie, emportant la plupart de
ces petites choses d'enfance.

Quelquefois, en présence du papillon, dans le calme
gris des soirs d'hiver, j'allais jusqu'à chanter moi-
même le petit refrain plaintif de la « bonne histoire »
en me faisant la voix très flûtée qu'il fallait ; alors le
porche de Bories m'apparaissait plus nettement
encore, lumineux et désolé, par un midi de septembre ; c'était un peu comme l'association qui s'est faite
plus tard dans ma tête entre les chants en fausset
plaintif des Arabes et les blancheurs de leurs mos-
quées, les suaires de chaux de leurs portiques...

Il existe encore, ce papillon, dans tout l'éclat de ses
deux nuances bizarres, momifié sous sa vitre, aussi
frais qu'autrefois, et il est resté pour moi une sorte de
gris-gris auquel je tiens beaucoup. Ces petits de
Sainte-Hermangarde, — que j'ai perdus de vue depuis
des années et qui sont maintenant attachés d'ambas-
sade quelque part en Orient, — s'ils lisent ceci, seront
bien étonnés sans doute d'apprendre quel prix les
circonstances ont donné à leur cadeau.

LVII

De ces hivers, empoisonnés maintenant par la vie de collège, l'événement capital était toujours la fête des étrennes.

Dès la fin de novembre, nous avions coutume, ma sœur, Lucette et moi, d'afficher chacun la liste des choses qui nous faisaient envie ; dans nos deux familles, tout le monde nous préparait des surprises, et le mystère qui entourait ces cadeaux était mon grand amusement des derniers jours de l'année. Entre parents, grand'mères et tantes, commençaient, pour m'intriguer davantage, de continuelles conversations à mots couverts ; des chuchotements, qu'on faisait mine d'étouffer dès que je paraissais...

Entre Lucette et moi, cela devenait même un vrai jeu de devinettes. Comme pour les « Mots à double sens », on avait le droit de se poser certaines questions déterminées, — par exemple, la très saugrenue que voici : « Ça a-t-il des poils de bête ? »

Et les réponses étaient dans ce genre :

— Ce que ton père te donne (un nécessaire de toilette en peau) en a eu, mais n'en a plus ; cependant, à quelques parties de l'intérieur (les brosses), on a cru devoir en ajouter des postiches. Ce que ta maman te donne (une fourrure avec un manchon) en a quelques-uns encore. Ce que ta tante te donne (une lampe) aide à mieux voir ceux qu'ont les bêtes sur le dos ; mais... attends, oui, je crois bien que ça n'en a pas soi-même...

Par les crépuscules de décembre, entre chien et loup, quand on était assis sur les petits tabourets bas, devant les feux de bois de chêne, on poursuivait la série de ces questions de jour en jour plus palpitantes, jusqu'au 31, jusqu'au grand soir des mystères dévoilés...

Ce soir-là, les cadeaux des deux familles, enveloppés, ficelés, étiquetés, étaient réunis sur des tables, dans une salle dont l'entrée nous avait été interdite, à Lucette et à moi, depuis la veille. A huit heures, on ouvrait les portes et tout le monde pénétrait en cortège, les aïeules les premières, chacun venant chercher son lot dans ce fouillis de paquets blancs attachés de faveurs. Pour moi, entrer là était un moment de joie telle que, jusqu'à douze ou treize ans, je n'ai jamais pu me tenir de faire des sauts de cabri, en manière de salut, avant de franchir le seuil.

On faisait ensuite un souper de onze heures, et quand la pendule de la salle à manger sonnait minuit, tranquillement, de son même timbre impassible, on se séparait, aux premières minutes d'une de ces années d'autrefois, enfouies à présent sous la cendre de tant d'autres.

Je me couchais ce soir-là avec toutes mes étrennes dans ma chambre auprès de moi, gardant même sur mon lit les préférées. Je m'éveillais ensuite de meilleure heure que de coutume pour les revoir; elles enchantaient ce matin d'hiver, premier de l'année nouvelle.

Une fois, il y eut dans le nombre un grand livre à images, traitant du monde antédiluvien.

Les fossiles avaient commencé de m'initier aux mystères des créations détruites.

Je connaissais déjà plusieurs de ces sombres bêtes, qui, aux temps géologiques, ébranlaient les forêts primitives de leurs pas lourds; depuis longtemps, je m'inquiétais d'elles, — et je les retrouvai là toutes, dans leur milieu, sous leur ciel de plomb, parmi leurs hautes fougères.

Le monde antédiluvien, qui déjà hantait mon

imagination, devint un de mes plus habituels sujets de rêve ; souvent, en y concentrant toute mon attention, j'essayais de me représenter quelque monstrueux paysage d'alors, toujours par les mêmes crépuscules sinistres, avec des lointains pleins de ténèbres ; puis, quand l'image ainsi créée arrivait tout à fait au point comme une vision véritable, il s'en dégageait pour moi une tristesse sans nom, qui en était comme l'âme exhalée, — et aussitôt c'était fini, cela s'évanouissait.

Bientôt aussi un nouveau décor de Peau-d'Ane s'ébaucha, qui représentait un site de la période du lias : c'était, dans une demi-obscurité, sous d'accablantes nuées, un morne marécage, où parmi des prêles et des fougères, remuaient lentement des bêtes disparues.

Du reste, Peau-d'Ane commençait à ne plus être Peau-d'Ane ; je renonçais peu à peu aux personnages, qui me choquaient maintenant par leurs inadmissibles attitudes de poupées ; ils dormaient déjà, les pauvres petits, relégués dans ces boîtes d'où sans doute on ne les exhumera jamais.

Mes nouveaux décors n'avaient plus rien de commun avec la pièce : des dessous de forêts vierges, des jardins exotiques, des palais d'Orient nacrés et dorés ; tous mes rêves enfin, que j'essayais de réaliser là avec mes petits moyens d'alors, en attendant mieux, en attendant l'improbable mieux de l'avenir...

LVIII

Cependant, après ce pénible hiver passé sous la coupe du Bœuf Apis et du Grand-Singe, le printemps revint encore, très troublant toujours pour les écoliers, qui ont des envies de courir, qui ne tiennent plus en place, que les premiers jours tièdes mettent hors d'eux-mêmes. Les rosiers poussaient partout sur nos vieux murs ; ma chère petite cour devenait de nouveau bien tentante, au soleil de mars, et je m'y attardais longuement à regarder s'éveiller les insectes et voler les premiers papillons, les premières mouches. Peau-d'Ane même en était négligée.

On ne venait plus me conduire au collège ni m'y chercher ; j'avais obtenu la suppression de cet usage, qui me rendait ridicule aux yeux de mes pareils. Et souvent, pour m'en revenir, je faisais un léger détour par les remparts tranquilles, d'où l'on voyait les villages et un peu des lointains de la campagne.

Je travaillais avec moins de zèle que jamais, ce printemps-là ; le beau temps qu'il faisait dehors me mettait la tête à l'envers.

Et une des parties où j'étais le plus nul était assurément la narration française ; je rendais générale-ment le simple « canevas » sans avoir trouvé la moindre « broderie » pour l'orner. Dans la classe, il y en avait un qui était l'aigle du genre et dont on lisait toujours à haute voix les élucubrations. Oh ! tout ce qu'il glissait là dedans de jolies choses ! (Il est devenu, dans un village de manufactures, le plus prosaïque des petits huissiers.) Un jour que le sujet proposé était : « Un naufrage », il avait trouvé des accents d'un lyrisme !... et j'avais donné, moi, une feuille blanche avec le titre et ma signature. Non, je ne pouvais pas me décider à développer les sujets du Grand-Singe : une espèce de pudeur instinctive m'empêchait d'écrire les banalités courantes, et quant à mettre des choses de mon cru, l'idée qu'elles seraient lues, épluchées par ce croquemitaine, m'arrêtait net.

Cependant j'aimais déjà écrire, mais pour moi tout seul par exemple, et en m'entourant d'un mystère inviolable. Pas dans le bureau de ma chambre, que souillaient mes livres et mes cahiers de collège, mais dans le très petit bureau ancien qui faisait partie du mobilier de mon musée, existait déjà quelque chose de bizarre qui représentait mon journal intime, première manière. Cela avait des aspects de grimoire de fée ou de manuscrit d'Assyrie ; une bande de papier sans fin s'enroulait sur un roseau ; en tête, deux espèces de sphinx d'Égypte, à l'encre rouge, une étoile cabalistique, — et puis cela commençait, tout en longueur comme le papier, et écrit en une cryptographie de mon invention. Un an plus tard seulement, à cause des lenteurs que ces caractères entraînaient, cela devint un cahier d'écriture ordinaire, mais je continuai de le tenir caché, enfermé sous clef comme une œuvre criminelle. J'y inscrivais, moins les événements de ma petite existence tranquille, que mes impressions incohérentes, mes tristesses des soirs, mes regrets des étés passés et mes rêves de lointains pays... J'avais déjà ce besoin de noter, de fixer des images fugitives, de lutter contre la fragilité des choses et de moi-même, qui m'a fait poursuivre ainsi ce journal jusqu'à ces dernières années... Mais, en ce temps-là, l'idée que quelqu'un pourrait un jour y jeter les yeux m'était insupportable ; à tel point que, si je partais pour quelque petit voyage dans l'île ou ailleurs, j'avais soin de le cacheter et d'écrire solennellement sur l'enveloppe : « C'est ma dernière volonté que l'on brûle ce cahier sans le lire. »

Mon Dieu, j'ai bien changé depuis cette époque. Mais ce serait beaucoup sortir du cadre de ce récit d'enfance, que de conter par quels hasards et par quels revirements dans ma manière, j'en suis venu à chanter mon mal et à le crier aux passants quelconques, pour appeler à moi la sympathie des inconnus les plus lointains ; — et appeler avec plus d'angoisse à mesure que je pressens davantage la finale poussière... Et, qui sait ? en avançant dans la vie, j'en viendrai peut-être à écrire d'encore plus intimes choses qu'à présent on ne m'arracherait pas, — et cela pour essayer de prolonger, au delà de ma propre durée, tout ce que j'ai été, tout ce que j'ai pleuré, tout ce que j'ai aimé...

LIX

Ce même printemps-là, il y eut un retour du père de la petite Jeanne qui me frappa beaucoup. Depuis quelques jours, sa maison était sens dessus dessous, dans les préparatifs et la joie de cette arrivée prochaine. Et, la frégate qu'il commandait étant rentrée dans le port un peu plus tôt qu'on n'avait supposé, je le vis de ma fenêtre un beau soir, qui revenait chez lui, seul, se hâtant dans la rue pour surprendre son monde... Il arrivait de je ne sais quelle colonie éloignée après deux ou trois ans d'absence, et il me parut qu'il n'avait pas changé d'aspect... On rentrait donc au foyer tout de même ! Elles finissaient donc, ces années d'exil, qui aujourd'hui du reste me faisaient déjà l'effet d'être moins longues qu'autrefois !... Mon frère lui aussi, à l'automne prochain, allait nous revenir ; ce serait bientôt comme s'il ne nous avait jamais quittés.

Et quelle joie, sans doute, que ces retours ! Et quel prestige environnait ceux qui arrivaient de si loin !

Le lendemain, chez Jeanne, dans sa cour, je regardais déballer d'énormes caisses en bois des pays étrangers ; quelques-unes étaient recouvertes de toiles goudronnées, débris de voiles sans doute, qui sentaient la bonne odeur des navires et de la mer ; deux matelots à large col bleu s'empressaient à déclouer, à découdre ; et ils retiraient de là dedans des objets d'apparence inconnue qui avaient des senteurs de

« colonies » ; des nattes, des gargoulettes, des potiches ; même des cocos et d'autres fruits de là-bas...

Le vieux grand-père de Jeanne, ancien marin lui aussi, était à côté de moi, surveillant du coin de l'œil ce déballage, et tout à coup, d'entre des planches que l'on séparait à coups de masse, nous vîmes s'échapper de vilaines petites bêtes brunes, empressées, sur lesquelles les deux matelots sautèrent à pieds joints pour les tuer :

— Des cancrelats, n'est-ce pas, commandant ? demandai-je au grand-père.

— Comment ! tu connais ça, toi, petit terrien ? me répondit-il en riant.

À vrai dire, je n'en avais jamais vu ; mais des oncles à moi, qui avaient habité dans leur compagnie, m'en avaient beaucoup parlé. Et j'étais ravi de faire une première connaissance avec ces bêtes, qui sont spéciales aux pays chauds et aux navires...

LX

Le printemps ! le printemps !

Sur les murs de ma cour, les rosiers blancs étaient fleuris, les jasmins étaient fleuris, les chèvrefeuilles retombaient en longues guirlandes, délicieusement odorantes.

Je recommençais à vivre du matin au soir, dans l'intimité des plantes et des vieilles pierres, écoutant le jet d'eau bruire à l'ombre du grand prunier, examinant les graminées et les mousses des bois égarées sur les bords de mon bassin, et, du côté ardent, où donnait tout le jour le soleil, comptant les boutons des cactus.

Les départs du mercredi soir pour la Limoise étaient aussi recommencés, — et j'en rêvais, cela va sans dire, d'une semaine à l'autre, au grand détriment des leçons et des devoirs.

LXI

Je crois que le printemps de cette année-là fut vraiment le plus radieux, le plus grisant des printemps de mon enfance, par contraste sans doute avec le si pénible hiver pendant lequel avait tout le temps sévi le Grand-Singe.

Oh ! la fin de mai, les hauts foins, puis les fauchages de juin ! Dans quelle lumière d'or je revois tout cela !

Les promenades du soir, avec mon père et ma sœur, se continuaient comme dans mes premières années ; ils venaient maintenant m'attendre à la sortie du collège, à quatre heures et demie, et nous partions directement pour les champs. Notre prédilection, ce printemps-là, se maintint pour certaines prairies pleines d'amourettes roses ; et au retour je rapportais toujours des gerbes de ces fleurs.

Dans cette même région, venait d'éclore une peuplade éphémère de toutes petites phalènes noires et roses (du même rose que les amourettes) qui dormaient posées partout sur les longues tiges des herbes, et qui s'envolaient comme un effeuillement de pétales de fleurs, dès qu'on agitait ces foins. C'est à travers d'exquises limpidités d'atmosphère de juin, que me réapparaît tout cela... Pendant la classe de l'après-midi, l'idée de ces grandes prairies qui m'attendaient, me troublait encore plus que l'air tiède et les senteurs printanières entrant à pleines fenêtres.

Mais j'ai surtout gardé le souvenir d'un soir où ma

mère nous avait promis, par exception, d'être de la
promenade, pour voir, elle aussi, ces champs d'amourettes. Cette fois-là, plus distrait que de coutume,
j'avais été menacé de retenue par le Grand-Singe, et
tout le temps de la classe je m'étais cru puni. Cette
retenue du soir, qui nous gardait une heure de plus
par ces beaux temps de juin, était toujours un cruel
supplice. Mais surtout j'avais le cœur serré en songeant que maman viendrait précisément là m'attendre, — et que les printemps étaient courts, qu'on allait
bientôt faucher les foins, que peut-être une autre
soirée aussi radieuse ne se retrouverait plus de
l'année...

Aussitôt la classe finie, j'allai anxieusement consulter la liste fatale, entre les mains du maître d'études :
je n'y étais pas ! Le Grand-Singe-Noir m'avait oublié,
ou fait grâce !

Oh ! ma joie alors de sortir en courant de ce collège,
d'apercevoir maman qui avait tenu sa promesse, et qui
m'attendait là, souriante, avec mon père et ma sœur...
L'air qu'on respirait dehors était plus exquis que
jamais, d'une tiédeur embaumée, et la lumière avait
un resplendissement de pays chaud. — Quand je
repense à ce moment-là, à ces prés d'amourettes, à ces
phalènes roses, il se mêle à mon regret une espèce
d'anxiété indéfinissable, comme du reste chaque fois
que je me retrouve en présence de choses qui m'ont
frappé et charmé par des dessous mystérieux, avec une
intensité que je ne m'explique pas.

LXII

J'ai déjà dit que j'avais toujours été beaucoup plus enfant que mon âge. Si on pouvait mettre en présence le personnage que j'étais alors et quelques-uns de ces petits Parisiens de douze ou treize ans élevés par les méthodes les plus perfectionnées et les plus modernes, qui déjà déclament, pérorent, ont des idées en politique, me glacent par leurs conversations, comme ce serait drôle et avec quel dédain ils me traiteraient !

Je m'étonne moi-même de la dose d'enfantillage que je conservais pour certaines choses, car, en fait d'art et de rêve, malgré le manque de procédé, le manque d'acquis, j'allais bien plus loin et plus haut qu'à présent, c'est incontestable ; et, si ce grimoire enroulé sur un roseau, dont je parlais tout à l'heure, existait encore, il vaudrait vingt fois ces notes pâles, sur lesquelles il me semble déjà qu'on a secoué de la cendre.

LXIII

Ma chambre, où je ne m'installais plus jamais pour travailler, où je n'entrais plus guère que le soir pour dormir, redevint pendant ce beau mois de juin mon lieu de délices, après le dîner, par les longs crépuscules tièdes et charmants. C'est que j'avais inventé un jeu, un perfectionnement du rat en guenilles que les gamins vulgaires font courir au bout d'une ficelle, le soir, dans les jambes des passants. Et cela m'amusait, mais d'une façon inouïe, sans lassitude possible. Cela m'amuserait encore autant, si j'osais, et je souhaite que mon invention soit imitée par tous les petits auxquels on aura l'imprudence de laisser lire ce chapitre.

Voici : de l'autre côté de la rue, juste en face de ma fenêtre et au premier étage aussi, demeurait une bonne vieille fille appellée mademoiselle Victoire (avec de grands bonnets à ruche du temps passé et des lunettes rondes). J'avais obtenu d'elle l'autorisation de fixer à l'arrêtoir de son contrevent une ficelle qui traversait la rue, et venait chez moi s'enrouler en pelote sur un bâton.

Le soir, dès que le jour baissait, un oiseau de ma fabrication — espèce de corbeau saugrenu charpenté en fil de fer avec des ailes de soie noire — sortait sournoisement d'entre mes persiennes, aussitôt refermées, et descendait, d'une allure drôle, se poser au milieu de la rue sur les pavés. Un anneau auquel il était suspendu pouvait courir librement le long de la ficelle, devenue invisible au crépuscule, et, tout le temps, je le faisais sautiller, sautiller par terre, dans une agitation comique.

Et quand les passants se baissaient pour regarder quelle était cette invraisemblable bête qui se trémoussait tant, — crac ! je tirais bien fort le bout gardé dans ma main : l'oiseau alors remontait très haut en l'air, après leur avoir sauté au nez.

Oh ! derrière mes persiennes, me suis-je amusé, ces beaux soirs-là ; ai-je ri, tout seul, des cris, des effarements, des réflexions, des conjectures. Ce qui m'étonne, c'est qu'après le premier moment de frayeur, les gens prenaient le parti de rire autant que moi ; il est vrai, la plupart étaient des voisins, qui devinaient de qui cette mystification devait leur venir, — et j'étais aimé dans mon quartier en ce temps-là. Ou bien c'étaient des matelots, passants de bonne composition, qui se montrent en général indulgents aux enfantillages — et pour cause.

Mais ce qui restera pour moi incompréhensible, c'est que, dans ma famille, où on péchait plutôt par excès de réserve, on ait pu fermer les yeux là-dessus, tolérer même tacitement ce jeu pendant tout un printemps ; je ne me suis jamais expliqué ce manque de correction, et les années, au lieu de m'éclaircir ce mystère, n'ont fait que me le rendre plus surprenant encore.

Cet oiseau noir est naturellement devenu une de mes nombreuses reliques : de loin en loin, tous les deux ou trois ans, je le regarde : un peu mité, mais me rappelant toujours les belles soirées des mois de juin disparus, les griseries délicieuses des anciens printemps.

LXIV

Les jeudis de Limoise, à la rage du soleil, quand
tout dormait accablé dans la campagne silencieuse,
j'avais pris l'habitude de grimper sur le vieux mur
d'enceinte, au fond du jardin, et d'y rester longtemps,
à califourchon, immobile à la même place, les touffes
de lierre me montant jusqu'aux épaules, toutes les
mouches et toutes les sauterelles bruissant autour de
moi. Comme du haut d'un observatoire, je contemplais la campagne chaude et morne, les bruyères, les
bois, et les légers voiles blancs du mirage, que
l'extrême chaleur agitait sans cesse d'un petit mouvement tremblant de surface de lac. Ces horizons de la
Limoise conservaient encore pour moi l'espèce de
mystère d'inconnu que je leur avais prêté pendant les
premiers étés de ma vie. La région un peu solitaire
qu'on voyait du haut de ce mur, je me la représentais
comme devant se continuer indéfiniment ainsi, par
des landes et des bois, en vrai site de contrée
primitive ; j'avais beau très bien savoir, à présent,
qu'au delà se trouvaient, comme ailleurs, des routes,
des cultures et des villes, je réussissais à garder
l'illusion de la sauvagerie de ces lointains.

Du reste, pour mieux me tromper moi-même,
j'avais soin de cacher, avec mes doigts repliés en
longue-vue, tout ce qui pouvait me gâter cet ensemble
désert : une vieille ferme là-bas, avec un coin de vigne
labourée et un bout de chemin. Et là, tout seul,

distrait par rien dans ce silence plein de bourdonne-
ments d'insectes, dirigeant toujours le creux de ma
main vers les parties les plus agrestes d'alentour,
j'arrivais très bien à me donner des impressions de
pays exotiques et sauvages.

Des impressions de Brésil surtout. Je ne sais pas
pourquoi c'était plutôt le Brésil, que le bois voisin me
représentait, dans ces moments de contemplations.

Et il me faut dire en passant comment est ce bois, le
premier de tous les bois de la terre que j'aie connu et
celui que j'ai le plus aimé : de très vieux chênes verts,
arbres aux feuilles persistantes et d'une couleur sombre, formant un peu colonnade de temple avec leurs
troncs élancés ; et là-dessous, aucune broussaille, mais
un sol à part, constamment sec, recouvert toute
l'année de la même petite herbe exquise, courte et très
fine comme un duvet ; çà et là seulement quelques
bruyères, quelques filipendules [41], quelques rares fleurettes d'ombre.

... En classe, on expliquait l'*Iliade*, — que j'aurais sans doute aimée, mais qu'on m'avait rendue odieuse avec les analyses, les pensums, les récitations de perroquet ; — et tout à coup je m'arrêtai plein d'admiration devant le vers fameux :

Bê d'akeôn thina *polufloisboio thalassés* [42].

qui finit comme le bruit d'une lame de marée montante étalant sa nappe d'écume sur les galets d'une plage.
— Remarquez, dit le Grand-Singe, remarquez l'harmonie initiative.
— Oh ! oui, va, j'avais remarqué. Pas besoin de me mettre les points sur les *i* pour de telles choses.
Une de mes grandes admirations, moins justifiée peut-être, fut ensuite pour ces vers de Virgile :

Hinc adeo media est nobis via ; namque sepulcrum
Incipit apparere Bianoris [43]...

Depuis le commencement de l'églogue, du reste, je suivais avec intérêt les deux bergers cheminant dans la campagne antique. Et je me la représentais si bien, cette campagne romaine d'il y a deux mille ans : chaude, un peu aride, avec des broussailles de phyllireas et de chênes verts, comme ces régions pierreuses de la Limoise, auxquelles précisément je trouvais un charme pastoral, un charme d'autrefois.

Ils cheminaient, les deux bergers, et maintenant ils s'apercevaient que la moitié de leur route était faite, « parce que le tombeau de Bianor leur apparaissait là-bas... » Oh! comme je le vis surgir, ce tombeau de Bianor! Ses vieilles pierres marquaient une tache blanche sur les chemins roux couverts de petites plantes un peu brûlées, serpolets ou marjolaines, avec çà et là des arbustes maigres au feuillage sombre... Et la sonorité de ce mot *Bianoris* finissant la phrase, évoqua pour moi, tout à coup, avec une extraordinaire magie, l'impression des musiques que les insectes devaient faire autour des deux voyageurs, dans le silence d'un midi très chaud éclairé par un soleil plus jeune, dans la sereine tranquillité d'un mois de juin antique. Je n'étais plus en classe ; j'étais dans cette campagne, en la société de ces bergers, marchant sur des fleurettes un peu brûlées, sur des herbes un peu roussies, par une journée d'été très lumineuse, — mais cependant atténuée et vue dans un certain vague, comme regardée avec une lunette d'approche au fond des âges passés...

Qui sait ! si le Grand-Singe avait deviné ce qui me causait ce moment de distraction, cela eût peut-être amené un rapprochement entre nous.

LXVI

Un certain jeudi soir, à la Limoise, tandis qu'arrivait l'heure inexorable de s'en aller, j'étais monté seul dans la grande chambre ancienne du premier étage où j'habitais. D'abord, je m'étais accoudé à la fenêtre ouverte, pour regarder le soleil rouge de juillet s'abaisser au bout des champs pierreux et des landes à fougères, dans la direction de la mer, invisible et pourtant voisine. Toujours mélancoliques, ces couchers de soleil, sur la fin de mes jeudis...

Puis, à la dernière minute avant le départ, une idée, que je n'avais jamais eue, me vint de fureter dans cette vieille bibliothèque Louis XV qui était près de mon lit. Là, parmi les livres aux reliures d'un autre siècle, où les vers, jamais dérangés, perçaient lentement des galeries, je trouvai un cahier en gros papier rude d'autrefois, et je l'ouvris distraitement... J'appris alors, avec un tressaillement d'émotion, que de *midi à quatre heures du soir, le 20 juin 1813, par 110 degrés de longitude et 15 degrés de latitude australe* (entre les tropiques par conséquent et dans les parages du Grand Océan), il faisait *beau temps, belle mer, jolie brise de sud-est,* qu'il y avait au ciel plusieurs de ces petits nuages blancs nommés « queues de chat » et que, le long du navire, des dorades passaient...

Morts sans doute depuis longtemps, ceux qui avaient noté ces formes fugitives de nuages et qui avaient regardé passer ces dorades... Ce cahier, je le

compris, était un de ces registres appelés « journaux
de bord », que les marins tiennent chaque jour ; je ne
m'en étonnai même pas comme d'une chose nouvelle,
bien que n'en ayant encore jamais eu entre les mains.
Mais c'était étrange et inattendu pour moi, de pénétrer ainsi tout à coup dans l'intimité de ces aspects du
ciel et de la mer, au milieu du Grand Océan, et à une
date si précise d'une année déjà si lointaine... Oh ! voir
cette mer « belle » et tranquille, ces « queues de chat »
jetées sur l'immensité profonde de ce ciel bleu, et ces
dorades rapides traversant les solitudes australes !...

Dans cette vie des marins, dans leur métier qui
m'effrayait et qui m'était défendu, que de choses
devaient être charmantes ! Je ne l'avais jamais si bien
senti que ce soir.

Le souvenir inoubliable de cette petite lecture
furtive a été cause que, pendant mes quarts à la mer,
chaque fois qu'un timonier m'a signalé un passage de
dorades, j'ai toujours tourné les yeux pour les regarder ; et toujours j'ai trouvé une espèce de charme à
noter ensuite l'incident sur le journal du bord, — si
peu différent de celui que ces marins de juin 1813
avaient tenu avant moi.

Aux vacances qui suivirent, le départ pour le Midi et pour les montagnes m'enchanta plus que la première fois.

Comme l'année précédente, nous nous mîmes en route, ma sœur et moi, au commencement d'août ; ce n'était plus une course à l'aventure, il est vrai ; mais le plaisir de revenir là et d'y retrouver tout ce qui m'avait tant charmé, dépassait encore l'amusement de s'en aller à l'inconnu.

Entre le point où s'arrêtait le chemin de fer et le village où nos cousins demeuraient, pendant le long trajet en voiture, notre petit cocher de louage prit des traverses risquées, ne se reconnut plus et nous égara, dans les recoins du reste les plus délicieux. Il faisait un temps rare, splendide. Et avec quelle joie je saluai les premières paysannes portant sur la tête les grands vases de cuivre, les premiers paysans bruns parlant patois, le commencement des terrains couleur de sanguine et des genévriers de montagne...

Vers le milieu du jour, pendant une halte pour faire reposer nos chevaux au creux d'une vallée d'ombre, dans un village perdu appelé Veyrac, nous nous assîmes au pied d'un châtaignier, — et là nous fûmes attaqués par les canards de l'endroit, les plus hardis, les plus mal élevés du monde, s'attroupant autour de nous avec des cris de la plus haute inconvenance. Au départ donc, quand nous fûmes remontés dans notre voiture, ces bêtes s'acharnant toujours à nous poursuivre, ma sœur se retourna vers eux et, avec la dignité du voyageur antique outragé par une population inhospitalière, s'écria : « Canards de Veyrac, soyez maudits ! » — Même après tant d'années, je ne puis penser de sang-froid à mon fou rire d'alors. Surtout je ne puis me rappeler cette journée sans regretter ce resplendissement de soleil et de ciel bleu, comme à présent je ne sais plus en voir...

A l'arrivée, nous étions attendus sur la route, au pont de la rivière, par nos cousins et par les petits Peyral qui agitaient leurs mouchoirs.

Je retrouvai avec bonheur ma petite bande au complet. Nous avions un peu grandi les uns et les autres, nous étions plus hauts de quelques centimètres ; mais nous vîmes tout de suite qu'à part cela nous n'avions pas changé, que nous étions aussi enfants, et disposés aux mêmes jeux.

Il y eut un orage effroyable à la tombée de la nuit. Et, pendant qu'il tonnait à tout briser, comme si on eût tiré des salves d'artillerie sur le toit de la maison de mon oncle ; pendant que toutes les vieilles gargouilles du village vomissaient de l'eau tourmentée et que des torrents couraient sur les pavés en galets noirs des rues, nous nous étions réfugiés, les petits Peyral et moi, dans la cuisine, pour y faire tapage plus à notre aise et y danser des rondes.

Très grande, cette cuisine ; garnie suivant la mode ancienne d'un arsenal d'ustensiles en cuivre rouge, séries de poêles et de chaudrons, accrochés aux murailles par ordre de grandeur, et brillant comme des pièces d'armure. Il faisait presque noir ; on commençait à sentir la bonne odeur de l'orage, de la terre mouillée, de la pluie d'été ; et par les épaisses fenêtres Louis XIII, grillées de fer, entraient de minute en minute les grandes lueurs vertes aveuglantes qui nous obligeaient, malgré nous, de cligner des yeux. Nous tournions, nous tournions comme des fous, en chantant à quatre voix : « L'astre des nuits dans son paisible éclat... » une chanson sentimentale

qui n'a jamais été faite pour danser, mais que nous
scandions drôlement par moquerie, pour l'accommo-
der en air de route. Cela dura je ne sais combien de
temps, cette sarabande de joie, l'orage nous portant
sur les nerfs, l'excès de bruit et de vitesse tournante
nous grisant comme de petits derviches ; c'était la fête
de mon retour célébrée ; c'était une manière d'inaugu-
rer dignement les vacances, de narguer le Grand-
Singe, d'ouvrir la série des expéditions et enfantillages
de toutes sortes qui allaient recommencer demain pis
que jamais.

LXVIII

Le lendemain, je m'éveillai au petit jour, entendant un bruit cadencé dont mon oreille s'était déshabituée : le tisserand voisin, commençant déjà, dès l'aube, le va-et-vient de ses métiers centenaires !... Alors, la première minute d'indécision une fois passée, je me rappelai avec une joie débordante que je venais d'arriver chez l'oncle du Midi ; que c'était le matin du premier jour ; que j'avais en perspective tout un été de grand air et de libre fantaisie : août et tout septembre, deux de ces mois qui me passent à présent comme des jours, mais qui me semblaient alors avoir de très respectables durées... Avec ivresse, au sortir d'un bon sommeil, je repris conscience de moi-même et des réalités de ma vie ; j'avais « de la joie à mon réveil »...

De je ne sais plus quelle histoire, lue l'hiver précédent, sur les Indiens des Grands-Lacs, j'avais retenu ceci qui m'avait beaucoup frappé : un vieux chef Peau-Rouge, dont la fille se languissait d'amour pour un Visage-Pâle, avait fini par consentir à la donner à cet étranger, afin qu'elle eût encore *de la joie à ses réveils.*

De la joie à ses réveils !... En effet j'avais remarqué depuis bien longtemps que le moment du réveil est toujours celui où l'on a plus nettement l'impression de ce qui est gai ou triste dans la vie, et où l'on trouve plus particulièrement pénible d'être sans joie ; mes premiers petits chagrins, mes premiers petits remords, mes anxiétés de l'avenir, c'était à ce moment toujours qu'ils revenaient plus cruels, — pour s'évanouir très vite, il est vrai, en ce temps-là.

Plus tard, ils devaient bien s'assombrir, mes réveils ! Et ils sont devenus aujourd'hui l'instant de lucidité effroyable où je vois pour ainsi dire les dessous de la vie dégagés de tous ces mirages encore amusants qui, dans le jour, reviennent me les cacher ; l'instant où m'apparaissent le mieux la rapidité des années, l'émiettement de tout ce à quoi j'essaie de raccrocher mes mains, et le néant final, le grand trou béant de la mort, là tout près, que rien ne déguise plus.

Ce matin-là donc, j'eus de la joie à mon réveil, et je me levai de bonne heure, ne pouvant tenir en paix dans mon lit, empressé d'aller courir, me demandant même par où j'allais commencer ma tournée d'arrivée.

Tous les recoins du village à revoir, et les remparts gothiques, et la délicieuse rivière. Et le jardin de mon oncle où, depuis l'an passé, les plus improbables papillons avaient pu élire domicile. Et des visites à faire, dans de vieilles maisons curieuses, à toutes les bonnes femmes du voisinage, — qui l'été dernier m'avaient comblé, comme par redevance, des plus délicieux raisins de leurs vignes ; — une certaine madame Jeanne surtout, vieille paysanne riche, qui s'était prise d'adoration pour moi, qui faisait toutes mes volontés, et qui, chaque fois qu'elle passait, revenant du lavoir comme Nausicaa, roulait d'impayables regards en coulisse du côté de la maison de mon oncle, à mon intention... Et les vignes et les bois d'alentour, et tous les sentiers de montagnes, et Castelnau là-bas, dressant ses tours crénelées sur son piédestal de châtaigniers et de chênes, m'appelant dans ses ruines !... Où courir d'abord, et comment se lasser d'un tel pays !

La mer, où du reste on ne me conduisait presque plus, en était même pour le moment complètement oubliée.

Après ces deux mois charmants, la pénible rentrée des classes, à laquelle je ne pouvais m'empêcher de songer, devait avoir pour grande diversion le retour de mon frère. Ses quatre ans n'étaient pas tout à fait révolus, mais nous savions qu'il venait déjà de quitter l' « île mystérieuse » pour nous revenir, et nous l'attendions en octobre. Pour moi, ce serait presque une connaissance entièrement à faire ; je m'inquiétais de savoir s'il m'aimerait en me revoyant, s'il me trouverait à son goût, si mille petites choses de moi, — comme par exemple ma manière de jouer Beethoven, — lui plairaient.

Je pensais constamment à son arrivée prochaine ; je m'en réjouissais tellement et j'en attendais un tel changement dans ma vie, que j'en oubliais complètement ma frayeur habituelle de l'automne.

Mais je me proposais aussi de le consulter sur mille questions troublantes, de lui confier toutes mes angoisses d'avenir ; et je savais du reste que l'on comptait sur ses avis pour prendre un parti définitif à mon sujet, pour me diriger vers les sciences et décider de ma carrière : là était le point noir de son retour.

En attendant cet arrêt redoutable, j'allais au moins m'amuser et m'étourdir le plus possible sans souci de rien, m'en donner librement et plus que jamais, pendant ces vacances que je considérais comme les dernières de ma vie de petit enfant.

LXIX

Après le dîner de midi, il était d'usage chez mon oncle de se tenir pendant une heure ou deux à l'entrée de la maison, dans le vestibule dallé de pierres et orné d'une grande fontaine guillochée, en cuivre rouge : c'était le lieu le plus frais, au moment de la lourde chaleur du jour. On y maintenait l'obscurité en fermant tout, et deux ou trois petites raies de soleil, où dansaient des mouches, filtraient seulement à travers les joints de la grosse porte Louis XIII. Dans le village silencieux, où personne ne passait, on n'entendait toujours que le même éternel jacassement de poules, toutes les autres bêtes semblant s'être endormies.

Moi, je n'y restais point, dans ce vestibule frais. L'accablant soleil du dehors m'attirait, et à peine d'ailleurs était-on installé là, en cercle, qu'on entendait « Pan ! pan ! » à la porte de la rue : les petits Peyral, qui venaient me chercher, et qui secouaient tous trois le vieux frappoir de fer, chauffé à brûler les doigts.

Alors, chapeaux baissés, nous partions chaque jour pour quelque entreprise nouvelle, avec des marteaux, des bâtons, des papillonnettes. D'abord, les petites rues gothiques pavées de cailloux ; puis les premiers sentiers alentour du village, toujours couverts d'un matelas de balle de blé, où on enfonçait jusqu'aux chevilles et qui entrait dans les souliers ; puis enfin la campagne, les vignes, les chemins qui grimpaient vers les bois ; ou bien encore la rivière, guéable pour nous, avec ses îlots pleins de fleurs.

Comme revanche de mon calfeutrage et de ma vie trop immobile, trop correcte de toute l'année, c'était assez complet ; mais il y manquait toujours la compagnie d'autres garçons de mon âge, les froissements, — et puis cela ne durait que deux mois.

LXX

Un jour, l'idée me vint même, par saugrenuité[44], par bravade, par je ne sais quoi, de faire une chose extrêmement malpropre. Et, après avoir cherché toute une matinée ce que ce pourrait bien être, je trouvai.

On sait les nuées de mouches qu'il y a, les étés, dans le Midi, souillant tout, en vrai fléau. Au milieu de la cuisine de la maison de mon oncle, je connaissais un piège qui leur était tendu, une sorte de gargoulette traîtresse, d'une forme spéciale, au fond de laquelle toutes venaient infailliblement trouver la mort dans de l'eau de savon. Or, ce jour-là, j'avisai au fond de ce vase une horrible masse noirâtre, qui représentait des milliers de mouches, toute la noyade des deux ou trois jours précédents, et je songeai qu'on pourrait en composer un plat, une crêpe par exemple, ou bien une omelette.

Vite, vite, et avec un dégoût qui allait jusqu'à la nausée, je versai dans une assiette la pâte noire, et l'emportai clandestinement chez la vieille madame Jeanne, mon amoureuse, la seule au monde qui fût capable de tout pour moi.

— Une omelette aux mouches ! oh ! mais, comment donc ! Quoi de plus simple ! dit-elle. Tout de suite du feu, une poêle, des œufs, — et la chose immonde, préalablement bien battue, fut mise à cuire dans sa haute cheminée moyen âge, tandis que je regardais, épouvanté et consterné de moi-même.

Puis les trois petits Peyral survinrent, qui me réconfortèrent en s'extasiant de mon idée comme toujours, et, quand le mets fut à point, servi chaud dans un plat, nous allâmes le montrer en triomphe à nos familles, marchant tous les quatre en cortège, par rang de taille, et chantant « L'astre des nuits » à grosse voix rauque, comme pour porter le diable en terre.

LXXI

Les fins d'étés surtout étaient délicieuses là-bas, quand les plaines devenaient toutes violettes de crocus, au pied des bois déjà jaunis. Alors commençaient les vendanges, qui duraient bien quinze jours et qui nous enchantaient. Dans des recoins de bois ou de prairies, avoisinant ces vignes des petits Peyral où nous passions alors toutes nos journées, nous faisions des dînettes de bonbons et de fruits, après avoir dressé sur l'herbe les couverts les plus élégants, que nous entourions à l'antique de guirlandes de fleurs et dont les assiettes étaient composées de pampres jaunes ou de pampres rouges. Des vendangeurs venaient là nous apporter des grappes exquises, choisies entre mille, et, la chaleur aidant, nous étions vraiment un peu gris quelquefois, non pas même de vin doux, car nous n'en buvions pas, mais de raisins seulement, comme se grisent, au soleil sur les treilles, les guêpes et les mouches.

Un matin de la fin de septembre, par un temps pluvieux et déjà frais qui sentait mélancoliquement l'automne, j'étais entré dans la cuisine, attiré par un feu de branches qui flambait gaiement dans la haute cheminée ancienne.

Et puis là, désœuvré, contrarié de cette pluie, j'imaginai pour me distraire de faire fondre une assiette d'étain et de la précipiter, toute liquide et brûlante, dans un seau d'eau.

Il en résulta une sorte de bloc tourmenté, qui était d'une belle couleur d'argent clair et qui avait un certain aspect de minerai. Je regardai cela longuement, très songeur : une idée germait dans ma tête, un projet d'amusement nouveau, qui allait peut-être devenir le grand charme de cette fin de vacances...

Le soir même, en conférence tenue sur les marches du grand escalier à rampe forgée, je parlais aux petits Payral de présomptions qui m'étaient venues, d'après l'aspect du terrain et des plantes, qu'il pourrait bien y avoir des mines d'argent dans le pays. Et je prenais, pour le dire, de ces airs entendus de coureur d'aventures, comme en ont les principaux personnages, dans ces romans d'autrefois qui se passent aux Amériques.

Chercher des mines, cela rentrait bien dans les attributions de ma bande, qui partait si souvent avec des pelles et des pioches à la découverte des fossiles ou des cailloux rares.

Le lendemain donc, à mi-montagne, comme nous arrivions dans un chemin, délicieusement choisi du reste, solitaire, mystérieux, dominé par des bois et très encaissé entre de hautes parois moussues, j'arrêtai ma bande, avec un flair de chef Peau-Rouge : ça devait être là ; j'avais reconnu la présence des gisements précieux, — et, en effet, en fouillant à la place indiquée, nous trouvâmes les premières pépites (l'assiette fondue que, la veille, j'étais venu enfouir).

Ces mines nous occupèrent sans trêve pendant toute la fin de la saison. Eux, absolument convaincus, émerveillés, et moi, qui pourtant fondais tous les matins des couverts et des assiettes de cuisine pour alimenter nos filons d'argent, moi-même arrivant presque à m'illusionner aussi.

Le lieu isolé, silencieux, exquis, où ces fouilles se passaient, et la mélancolie sereine de l'été finissant, jetaient un charme rare sur notre petit rêve d'aventuriers. Nous tenions, du reste, nos découvertes dans le plus amusant mystère ; il y avait maintenant entre nous comme un secret de tribu. Et, dans un vieux coffre ignoré du grenier de mon oncle, nos richesses,

mêlées d'un peu de terre rouge de montagne, s'entas-
saient comme en une caverne d'Ali-Baba.

Nous nous étions promis de les y laisser dormir
pendant tout l'hiver, jusqu'aux vacances prochaines,
où nous comptions bien continuer de grossir ce trésor.

LXXII

Aux premiers jours d'octobre, une joyeuse dépêche de mon père nous rappela en toute hâte ; mon frère, qui rentrait en Europe par un paquebot de Panama, venait de débarquer à Southampton ; nous n'avions donc que le temps de nous rendre, si nous voulions être à la maison pour le recevoir.

Et, en effet, le soir du surlendemain, nous arrivâmes tout juste à point, car on l'attendait lui-même quelques heures après par un train de nuit. Rien que le temps de remettre dans sa chambre, à leurs places d'autrefois, les différents petits bibelots qu'il m'avait confiés quatre années auparavant, et il fut l'heure de partir pour la gare à sa rencontre. Moi, cela ne me semblait pas une chose réelle, ce retour, surtout annoncé si brusquement, — et je n'en avais pas dormi depuis deux nuits.

Aussi tombais-je de sommeil à cette gare, malgré mon impatience extrême, et ce fut comme dans un rêve que je le vis reparaître, que je l'embrassai, intimidé de le retrouver si différent de l'image qui m'étais restée de lui : noirci, la barbe épaissie, la parole plus brève, et m'examinant avec une expression moitié souriante, moitié anxieuse, comme pour constater ce que les années avaient commencé à faire de moi et démêler ce qu'elles en pourraient tirer plus tard...

En rentrant à la maison, je dormais debout, d'un de ces sommeils d'enfant fatigué par un long voyage contre lesquels il n'y a pas de résistance, et on m'envoya coucher.

LXXIII

M'éveillant le lendemain matin, avec le souvenir en soubresaut de quelque chose d'heureux, avec de la joie tout au fond de moi-même, je vis d'abord un objet à silhouette extraordinaire, qui était dans ma chambre sur une table : une pirogue de là-bas, évidemment, très svelte et très étrange, avec son balancier et ses voiles ! Puis mes yeux rencontrèrent d'autres objets inconnus : des colliers en coquilles enfilés de cheveux humains, des coiffures de plumes, des ornements d'une sauvagerie primitive et sombre, accrochés un peu partout, comme si la lointaine Polynésie fût venue à moi pendant mon sommeil... Donc, il avait commencé de faire ouvrir ses caisses, mon frère, et il avait dû entrer sans bruit pendant que je dormais encore, pour s'amuser à grouper autour de moi ces cadeaux destinés à mon musée.

Je me levai bien vite pour aller le retrouver : je l'avais à peine vu la veille au soir !...

LXXIV

Et je le vis à peine aussi, pendant les quelques semaines agitées qu'il passa parmi nous. De cette période, qui dura si peu, je n'ai que des souvenirs troubles comme on en conserve de choses regardées pendant une course trop rapide. Vaguement je me rappelle un train de vie plus gai et plus jeune ramené à la maison par sa présence. Je me rappelle aussi qu'il semblait par instants avoir des préoccupations absorbantes à propos de choses tout à fait en dehors de notre sphère de famille ; peut-être des regrets pour les pays chauds, pour l' « île délicieuse », ou bien des craintes de trop prochain départ ?...

Quelquefois je le retenais captivé auprès de mon piano, avec cette musique hallucinée de Chopin que je venais tout récemment de découvrir. Il s'en inquiéta même, disant que c'était trop, que cela m'énervait. Venant à peine d'arriver au milieu de nous, il se trouvait en situation de juger mieux et il comprenait peut-être que je subissais un réel surmenage intellectuel, en fait d'art s'entend ; que Chopin et Peau-d'Ane m'étaient aussi dangereux l'un que l'autre ; que je devenais d'un raffinement excessif, malgré mes accès incohérents d'enfantillage, et que presque tous mes jeux étaient des jeux de rêve. Un jour donc, il décréta, à ma grande joie, qu'il fallait me faire monter à cheval ; mais ce fut le seul changement laissé par son passage dans mon éducation. Quant à ces graves questions d'avenir que je voulais tant traiter avec lui, je les reculais toujours, effrayé d'aborder ces sujets, préférant gagner du temps, ne pas prendre de décision encore et prolonger pour ainsi dire mon enfance. Cela ne pressait pas, du reste, puisqu'il était pour des années avec nous...

... Et un beau matin, quand on comptait si bien le garder, l'ordre lui arriva du ministère de la marine, avec un nouveau grade, de partir sans délai pour l'Extrême Orient où une expédition s'organisait.

Après quelques journées encore, qui se passèrent en préparatifs pour cette campagne imprévue, il s'en alla, comme emporté par un coup de vent.

Les adieux cependant furent moins tristes cette fois, parce que son absence, pensions-nous, ne durerait que deux années... En réalité, c'était son départ éternel, et on devait jeter son corps quelque part là-bas au fond de l'océan Indien, vers le milieu du golfe de Bengale...

Quand il fut parti, le bruit de la voiture qui l'emportait s'entendant encore, ma mère se tourna vers moi avec une expression de regard qui d'abord m'attendrit jusqu'aux fibres profondes ; et puis elle m'attira à elle, en disant, d'un accent de complète confiance : « Grâce à Dieu, au moins nous te garderons, toi ! »

Me garder moi !... On me garderait !... Oh !... je baissai la tête, en détournant mes yeux qui durent changer et devenir un peu sauvages. Je ne trouvais plus un mot ni une caresse pour répondre à ma mère.

Cette confiance si sereine de sa part me faisait mal, car, précisément, en entendant ce qu'elle venait de me dire : « Nous te garderons, toi ! » je comprenais pour la première fois de ma vie tout le chemin déjà parcouru dans ma tête par ce projet à peine conscient de m'en aller aussi, de m'en aller même plus loin que mon frère, et plus partout, par le monde entier.

Cette marine m'épouvantait toujours pourtant ; je ne l'aimais pas encore, oh ! non ; rien qu'y penser faisait saigner mon cœur de petit être trop attaché au foyer, trop enlacé de mille liens très doux. Puis d'ailleurs, comment avouer à mes parents une telle idée, comment leur faire cette peine, et entrer ainsi en rébellion contre eux !... Mais renoncer à cela, se confiner tout le temps dans un même lieu, passer sur la terre et n'en rien voir, quel avenir de désenchantement ; à quoi bon vivre, à quoi bon grandir, alors ?...

Et dans ce salon vide, où les fauteuils dérangés, une chaise tombée, laissaient l'impression triste des départs, tandis que j'étais là, tout près de ma mère, serré contre elle, mais les yeux toujours détournés et l'âme en détresse, je repensais tout à coup au journal de bord de ces marins d'autrefois, lu au soleil couchant, le printemps dernier à la Limoise ; les petites phrases, écrites d'une encre jaunie sur le papier ancien, me revinrent lentement l'une après l'autre, avec un charme berceur et perfide comme doit être celui des incantations de magie :

« Beau temps... belle mer... légère brise de sud-est... Des bancs de dorades... passent par bâbord. »

Et avec un frisson de crainte presque religieuse, d'extase panthéiste, je vis en esprit tout autour de moi le morne et infini resplendissement bleu du Grand Océan austral.

LXXV

Un grand calme triste succéda à ce départ de mon frère, et les jours reprirent pour moi une monotonie extrême.

On me destinait toujours à l'École polytechnique, bien que ce ne fût pas décidé d'une façon irrévocable. Et quant à cette idée d'être marin, qui m'était venue comme malgré moi, elle me charmait et m'épouvantait à un degré presque égal ; par manque de courage pour trancher une question si grave, je reculais toujours d'en parler ; j'avais fini même par me dire que je réfléchirais encore jusqu'aux vacances prochaines, m'accordant à moi-même ces quelques mois comme dernier délai d'irrésolution et d'insouciance enfantine.

Et je vivais aussi solitaire qu'autrefois ; le pli qu'on m'en avait donné était bien pris maintenant, difficile à changer, malgré mes troubles, malgré mes envies latentes de courir au loin et au large. Le plus souvent je gardais la maison, occupé à peindre d'étranges décors, ou bien à jouer du Chopin, du Beethoven, tranquille d'apparence et absorbé dans des rêves ; et plus que jamais je m'attachais à ce foyer, à tous ses recoins, à toutes les pierres de ses murs. Il est vrai, maintenant je montais à cheval, mais toujours seul avec des piqueurs, jamais avec d'autres enfants de mon âge ; je continuais à n'avoir point de camarades de jeux.

Cependant cette seconde année de collège me

paraissait déjà moins pénible que la première, moins lente à passer, et j'avais fini du reste par me lier avec deux grands de la classe, mes aînés d'un ou deux ans, les seuls qui l'année précédente ne m'avaient pas traité en petit personnage impossible. La première glace une fois rompue, c'était devenu tout de suite entre nous trois une grande amitié, sentimentale au possible ; nous nous appelions même par nos noms de baptême, ce qui est tout à fait contraire aux belles manières des collèges. Et, comme nous ne nous voyions jamais qu'en classe, obligés de causer mystérieusement bas, sous la férule des maîtres, nos relations étaient, par cela seul, maintenues dans une courtoisie inaltérable et ne ressemblaient pas aux relations ordinaires des enfants entre eux. Je les aimais de très bon cœur ; pour eux, je me serais fait couper en quatre, et m'imaginais vraiment que cela durerait ainsi toute la vie.

Exclusif à l'excès, je considérais le reste de la classe comme n'existant pas ; cependant un certain moi superficiel, pour le besoin des relations sociales, se formait déjà comme une mince enveloppe, et commençait à savoir se maintenir à peu près en bons termes avec tous, tandis que le vrai moi du fond continuait de leur échapper absolument.

En général, je trouvais moyen d'être assis entre mes deux amis, André et Paul. Et, si on nous séparait, nous échangions de continuels billets à mots couverts, en une cryptographie dont nous avions seuls la clef.

Toujours des confidences d'amour, ces lettres-là : « Je l'ai vue aujourd'hui ; elle portait une robe bleue avec de la fourrure grise, et une toque avec une aile d'alouette, etc., etc. » — Car nous avions chacun fait choix d'une jeune fille, qui formait le sujet ordinaire de nos très poétiques causeries.

Un peu de ridicule et de bizarrerie se mêle infailliblement à cette époque transitoire de l'âge des garçons, et il me faut bien indiquer cette note en passant.

En passant aussi, je vais dire que mes transitions à

moi ont duré plus longtemps que celles des autres hommes, parce qu'elles m'ont mené d'un extrême à l'autre, — en me faisant toucher, du reste, à tous les écueils du chemin, — aussi ai-je conscience d'avoir conservé, au moins jusqu'à vingt-cinq ans, des côtés bizarres et impossibles...

A présent, je vais faire la confidence de nos trois amours.

André brûlait pour une grande jeune fille, d'au moins seize ans, qui allait déjà dans le monde, — et je crois qu'il y avait du vrai dans son cas.

Moi, c'était Jeanne, et mes deux amis seuls connaissaient ce secret de mon cœur. Pour faire comme eux, tout en trouvant cela un peu niais, j'écrivais son nom en cryptographie sur mes couvertures de cahiers ; par goût, par genre, je cherchais à me persuader moi-même de mon amour, mais je dois avouer qu'il était un peu factice, car au contraire, entre Jeanne et moi, l'espèce de petite coquetterie comique des débuts tournait simplement en bonne, et vraie amitié, — amitié héréditaire, pour ainsi dire, et reflet de celle que nos grands-parents avaient eue. Non, mon premier amour véritable, que je conterai tout à l'heure et qui date de cette même année, fut pour une vision de rêve.

Quant à Paul, — oh ! j'avais trouvé cela bien choquant d'abord, surtout avec mes idées de ce temps-là ! — lui, c'était une petite parfumeuse, qu'il apercevait les dimanches de sortie derrière une vitre de magasin. A la vérité, elle s'appelait d'un nom comme Stella ou Olympia, qui la relevait beaucoup, — et puis, il avait soin d'entourer cet amour d'un lyrisme éthéré pour nous le rendre acceptable. Sur des bouts de papier mystérieux, il nous faisait passer constamment les rimes les plus suaves à elle dédiées et où son nom en *a* revenait fréquemment comme un parfum de cosmétique.

Malgré toute mon affection pour lui, ces poésies me faisaient sourire de pitié agacée. Elles ont été en partie causes que jamais, jamais, à aucune époque de ma vie, l'idée ne m'est venue de composer un seul vers, — ce qui est assez particulier, je crois, peut-être même unique. Mes notes étaient écrites toujours en une prose affranchie de toutes règles, farouchement indépendante.

LXXVI

Ce Paul, il savait des vers, d'un poète défendu appelé Alfred de Musset, qui me troublaient comme quelque chose d'inouï, de révoltant et de délicieux. En classe il me les disait à l'oreille, d'une voix imperceptible, et, avec un remords, je les lui faisais recommencer :

Jacque était immobile et regardait Marie ;
Je ne sais ce qu'avait cette femme endormie
D'étrange dans ses traits, de grand, de *déjà vu*[45].
....

Dans le cabinet de travail de mon frère, — où j'allais de temps en temps m'isoler, retrouvant le regret de son départ, — j'avais vu sur un rayon de la bibliothèque un gros volume des œuvres de ce poète, et la tentation m'était souvent venue de le prendre ; mais on m'avait dit : « Tu ne toucheras à aucun des volumes qui sont là sans nous prévenir », et ma conscience m'arrêtait encore.

Quant à en demander la permission, je savais trop bien qu'elle me serait refusée...

LXXVII

Ceci est un rêve qui date du quatorzième mois de mai de ma vie. Il me vint par une de ces nuits tièdes et douces qui succèdent à de longs crépuscules délicieux.

Dans ma chambre d'enfant, je m'étais endormi au son lointain de ces airs de danse ronde que chantent les matelots et les petites filles autour des « bouquets de Mai[46] », dans les rues. Jusqu'à l'instant du sommeil profond, j'avais écouté ces très vieux refrains de France que ces gens du peuple redisaient là-bas à voix pleine et libre, et qui m'arrivaient assourdis, fondus, poétisés, à travers du tranquille silence ; j'avais été bercé un peu étrangement par le bruit de ces gaietés de vivre, de ces débordantes joies, comme en ont, pendant leur jeunesse très éphémère, ces êtres plus simples que nous et plus inconscients de la mort.

Et, dans mon rêve, il faisait une demi-nuit, qui n'était pas triste, mais douce au contraire comme la vraie nuit de mai du dehors, douce, tiède et pleine des bonnes odeurs du printemps ; j'étais dans la cour de ma maison, dont l'aspect n'avait rien de déformé ni d'étrange, et, le long des murs tout fleuris de jasmins, de chèvrefeuilles, de roses, je m'avançais indécis et troublé, cherchant je ne sais quoi, ayant conscience de quelqu'un qui m'attendait et que je désirais ardemment voir, ou bien de quelque chose d'inconnu qui allait se passer, et qui par avance m'enivrait...

A un point où se trouve un rosier très vieux, planté

par un ancêtre et gardé respectueusement, bien qu'il donne à peine tous les deux ou trois ans une seule rose, j'aperçus une jeune fille, debout et immobile avec un sourire de mystère.

L'obscurité devenait un peu lourde, alanguissante.

Il faisait de plus en plus sombre partout, et cependant, sur elle seule, demeurait une sorte de vague lumière comme renvoyée par un réflecteur, qui dessinait son contour nettement avec une mince ligne d'ombre.

Je devinais qu'elle devait être extrêmement jolie et fraîche ; mais son front et ses yeux restaient perdus sous un voile de nuit ; je ne voyais tout à fait bien que sa bouche, qui s'entr'ouvrait pour sourire dans l'ovale délicieux de son bas de visage. Elle se tenait tout contre le vieux rosier sans fleurs, presque dans ses branches. — La nuit, la nuit s'assombrissait toujours. Elle était là comme chez elle, venue je ne sais d'où, sans qu'aucune porte eût été ouverte pour la faire entrer ; elle semblait trouver naturel d'être là, comme moi, je trouvais naturel qu'elle y fût.

Je m'approchai bien près pour découvrir ses yeux qui m'intriguaient, et alors tout à coup je les vis très bien, malgré l'obscurité toujours plus épaisse et plus alourdie : ils souriaient aussi, comme sa bouche ; — et ils n'étaient pas quelconques, — comme si, par exemple, elle n'eût représenté qu'une impersonnelle statue de la jeunesse ; — non, ils étaient très particuliers au contraire ; ils étaient les yeux de *quelqu'un* ; de plus en plus je me rappelais ce regard déjà aimé et je le *retrouvais,* avec des élans de tendresse infinie...

Réveillé alors en sursaut, je cherchai à retenir son fantôme, qui fuyait, qui fuyait, qui devenait plus insaisissable et plus irréel, à mesure que mon esprit s'éclairait davantage, dans son effort pour se souvenir. Était-ce bien possible, pourtant, qu'elle ne fût et n'eût jamais été qu'un rien sans vie, replongé maintenant pour toujours dans le néant des choses imaginaires, effacées... Je désirais me rendormir, pour la revoir ;

l'idée que c'était fini, rien qu'un rêve, me causait une déception, presque une désespérance.

Et je fus très long à l'oublier ; je l'aimais, je l'aimais tendrement ; dès que je repensais à elle, c'était avec une commotion intérieure, à la fois douce et douloureuse ; tout ce qui n'était pas elle me semblait, pour le moment, décoloré et amoindri. C'était bien l'amour, le vrai amour, avec son immense mélancolie et son immense mystère, avec son suprême charme triste, laissé ensuite comme un parfum à tout ce qu'il a touché ; ce coin de la cour, où elle m'était apparue, et ce vieux rosier sans fleurs qui l'avait entourée de ses branches, gardaient pour moi quelque chose d'angoissant et de délicieux qui leur venait d'elle.

LXXVIII

Juin rayonnait. C'était le soir, l'heure exquise du crépuscule. Dans le cabinet de mon frère, j'étais seul, depuis un long moment ; par la fenêtre, grande ouverte sur un ciel tout en or rose, on entendait les martinets pousser leurs cris aigus, en tourbillonnant par nuées au-dessus des vieux toits.

Personne ne me savait là, et jamais je ne m'étais senti plus isolé dans ce haut de maison, ni plus tenté d'inconnu...

Avec un battement de cœur, j'ouvris ce volume de Musset :

Don Paez[47] !...

Les premières phrases rythmées, musicales, me furent comme chantées par une dangereuse voix d'or :

....

Sourcils noirs, blanches mains, et, pour la petitesse
De ses pieds, elle était Andalouse et comtesse.

....

Quand la nuit de printemps fut tout à fait venue, quand mes yeux, baissés bien près du volume, ne distinguèrent plus, des vers charmeurs, que de petites lignes grises rangées sur le blanc des pages, je sortis, seul par la ville.

Dans les rues presque désertes, et pas encore éclairées, des rangs de tilleuls ou d'acacias fleuris faisaient l'ombre plus épaisse et embaumaient l'air. Ayant rabattu mon chapeau de feutre sur mes yeux, comme don Paez, je marchais d'un pas souple et léger, relevant la tête vers les balcons, et poursuivant je ne sais quels petits rêves enfantins de nuits d'Espagne, de sérénades andalouses...

LXXIX

. . . .
Les vacances revinrent encore ; le voyage dans le
Midi eut lieu pour la troisième fois, et là-bas, au beau
soleil d'août et de septembre, tout se passa comme aux
précédentes années : mêmes jeux avec ma bande
fidèle, mêmes expéditions dans les vignes et les
montagnes, mêmes rêveries de moyen âge dans les
ruines de Castelnau, et, aux abords du sentier solitaire
où gisaient nos filons d'argent, même ardeur à fouiller
le sol rouge, en prenant des airs d'aventuriers, — bien
que, chez les petits Peyral, la foi en ces mines n'y fût
vraiment plus.

Ce recommencement toujours semblable des étés
me donnait parfois l'illusion que ma vie d'enfant
pourrait indéfiniment se prolonger ainsi ; cependant,
je n'avais plus de *joie à mes réveils* ; une espèce
d'inquiétude, semblable à celle que laisse un devoir
non accompli, me reprenait chaque matin, de plus en
plus péniblement, à la pensée que le temps fuyait, que
les vacances allaient finir et que je n'avais pas encore
eu le courage de décider de ma vie.

LXXX

Et un jour, comme on avait déjà dépassé la mi-septembre, je compris, à l'anxiété particulièrement grande de mon réveil, qu'il n'y avait plus à reculer ; le terme que je m'étais assigné à moi-même était venu.

Ma décision, — elle était déjà plus d'à moitié prise au fond de moi-même ; pour la rendre effective, il ne me restait plus guère qu'à en faire l'aveu, et je me promis à moi-même que la journée ne passerait pas sans que cela fût accompli, courageusement. C'était à mon frère que je voulais me confier d'abord, pensant qu'il commencerait, lui aussi, par s'opposer à mon projet de toutes ses forces, mais qu'il finirait par prendre mon parti et m'aiderait à gagner ma cause.

Donc, après le dîner de midi, à la rage ardente du soleil, j'emportai dans le jardin de mon oncle du papier et une plume, — et là, je m'enfermai pour écrire cette lettre (Cela entrait dans mes habitudes d'enfant d'aller ainsi travailler ou faire ma correspondance en plein air, et souvent même dans les recoins les plus singulièrement choisis, en haut des arbres, sur les toits).

Une après-midi de septembre brûlante et sans un nuage. Il faisait triste, dans ce vieux jardin plus silencieux que jamais, plus *étranger* aussi peut-être, me donnant bien plus que de coutume l'impression et le regret d'être loin de ma mère, de passer toute une fin d'été sans voir ma maison, ni les fleurs de ma chère petite cour. — Du reste, ce que j'étais sur le point d'écrire aurait pour résultat de me séparer encore davantage de tout ce que j'aimais tant, et j'en avais l'impression mélancolique. Il me semblait même qu'il y eût, dans l'air de ce jardin, je ne sais quoi d'un peu solennel, comme si les murs, les pruniers, les treilles et, là-bas, les luzernes se fussent intéressés à ce premier acte grave de ma vie, qui allait se passer sous leurs yeux.

Pour m'installer à écrire, j'hésitai entre deux ou trois places, toutes brûlantes, avec très peu d'ombre. — C'était encore une manière de gagner du temps, de retarder cette lettre qui, avec mes idées d'alors, rendrait pour moi la décision irrévocable, une fois qu'elle serait ainsi déclarée. Sur la terre sèche, il y avait déjà des pampres roussis, beaucoup de feuilles mortes ; des passe-roses, des dahlias devenus hauts comme des arbres, fleurissaient plus maigrement au bout de leurs tiges longues ; l'ardent soleil achevait de dorer ces raisins à grosses graines qui mûrissent toujours sur le tard et qui ont une senteur musquée ; malgré la grande chaleur, la grande limpidité bleue du ciel, on avait bien l'impression de l'été finissant.

Ce fut le berceau du fond que je choisis enfin pour m'y établir ; les vignes y étaient très effeuillées, mais les derniers papillons à reflet de métal bleu y venaient encore, avec les guêpes, se poser sur les sarments des muscats.

Là, dans un grand calme de solitude, dans un grand silence d'été rempli de musiques de mouches, j'écrivis et signai timidement mon pacte avec la marine.

De la lettre elle-même, je ne me souviens plus ; mais je me rappelle l'émotion avec laquelle je la cachetai, comme si, sous cette enveloppe, j'avais scellé pour jamais ma destinée.

Après un temps d'arrêt encore et de rêverie, je mis l'adresse : le nom de mon frère et le nom d'un pays d'Extrême-Orient où il se trouvait alors [48]. — Rien de plus à faire maintenant, que d'aller porter cela au bureau de poste du village ; mais je restai là longtemps

assis, très songeur, adossé au mur chaud sur lesquels
couraient des lézards et gardant sur mes genoux, avec
épouvante, le petit carré de papier où je venais de fixer
mon avenir. Puis, l'envie me prenant de jeter les yeux
sur l'horizon, sur l'espace, je mis le pied dans cette
brèche familière du mur par laquelle je montais pour
regarder fuir les papillons imprenables, et je me hissai
des deux mains jusqu'au faîte, où je demeurai
accoudé. Les mêmes lointains connus m'apparurent,
les coteaux couverts de leurs vignes déjà rousses, les
montagnes dont les bois jaunis s'effeuillaient, et, là-
bas, haut perchée, la grande ruine rougeâtre de
Castelnau. En avant de tout cela, était le domaine de
Bories, avec son vieux porche arrondi, peint à la chaux
blanche, et, dès que je le regardai, la chanson
plaintive : « Ah ! ah ! la bonne histoire !... » me revint
à l'esprit, étrangement chantée, en même temps que
me réapparut ce papillon « citron aurore » qui était
piqué depuis deux ans là-bas, sous une vitre de mon
petit musée...

L'heure approchait où la vieille diligence campa-
gnarde allait partir, emportant les lettres au loin. Je
descendis de ce mur, je sortis du vieux jardin que je
refermai à clef, et me dirigeai lentement vers le bureau
de poste.

Un peu comme un petit halluciné, je marchais cette
fois-là sans prendre garde à rien ni à personne. Mon
esprit voyageait partout, dans les forêts pleines de
fougères de l'*île délicieuse,* dans les sables du sombre
Sénégal où avait habité l'oncle au musée, et à travers le
Grand Océan austral où *des dorades passaient.*

La réalité assurée et prochaine de tout cela m'enivrait ; pour la première fois, depuis que j'avais
commencé d'exister, le monde et la vie me semblaient
grands ouverts devant moi ; ma route s'éclairait d'une
lumière toute nouvelle : — une lumière un peu
morne, il est vrai, un peu triste, mais puissante et qui
pénétrait tout, jusqu'aux horizons extrêmes avoisinant
la vieillesse et la mort.

Puis, des petites images très enfantines se mêlaient

aussi de temps en temps à mon rêve immense ; je me voyais en uniforme de marin, passant au soleil sur des quais brûlants de villes exotiques ; ou bien revenant à la maison, après de périlleux voyages ; rapportant des caisses qui étaient remplies d'étonnantes choses — et desquelles des cancrelats s'échappaient, comme dans la cour de Jeanne, pendant les déballages d'arrivée de son père...

Mais tout à coup mon cœur recommença de se serrer : ces retours de campagnes lointaines, ils ne pourraient avoir lieu que dans bien des années... et alors, les figures qui me recevraient au foyer, seraient changées par le temps... Je me les représentai même aussitôt, ces figures chéries ; dans une pâle vision, elles m'apparurent toutes ensemble : un groupe qui m'accueillait avec des sourires de douce bienvenue, mais qui était si mélancolique à regarder ! Des rides marquaient tous les fronts ; ma mère avait ses boucles blanches comme aujourd'hui... Et grand'tante Berthe, déjà si vieille, pourrait-elle être là encore ?... J'en étais à faire rapidement, avec crainte, le calcul de l'âge de grand'tante Berthe, quand j'arrivai au bureau de la poste...

Cependant, je n'hésitai pas ; d'une main qui tremblait seulement un peu, je glissai ma lettre dans la boîte, et le sort en fut jeté.

LXXXI

J'arrête là ces notes, parce que d'abord la suite n'est pas encore assez loin de moi dans le temps pour être livrée aux lecteurs inconnus. Et puis, il me semble que mon enfance première a vraiment pris fin ce jour où j'ai ainsi décidé mon avenir.

J'avais alors quatorze ans et demi ; trois années me restaient par conséquent pour me préparer à l'École navale ; c'était donc dans les choses très raisonnables et très possibles.

Cependant je devais me heurter encore à bien des refus, à des difficultés de toutes sortes avant d'entrer au *Borda*[49]. Et ensuite je devais traverser bien des années d'hésitations, d'erreurs, de luttes ; monter à bien des calvaires ; payer cruellement d'avoir été élevé en petite sensitive isolée ; à force de volonté, refondre et durcir ma trempe physique, aussi bien que morale, — jusqu'au jour où, vers mes vingt-sept ans, un directeur de cirque, après avoir vu comme mes muscles se détendaient maintenant en ressorts d'acier, laissa tomber dans son admiration ces paroles, les plus profondes que j'aie entendues de ma vie : « Quel dommage, monsieur, que votre éducation ait été commencée si tard[50] ! »

LXXXII

. . . .

Nous croyions, ma sœur et moi, revenir encore l'été suivant dans ce village...

Mais Azraël passa sur notre route ; de terribles choses imprévues bouleversèrent notre tranquille et douce vie de famille.

Et ce ne fut que quinze années plus tard, après avoir couru le monde entier, que je revis ce coin de la France.

Tout y était bien changé ; l'oncle et la tante dormaient au cimetière ; les grands cousins étaient dispersés ; la cousine, qui avait déjà quelques fils d'argent mêlés à ses cheveux, se préparait à quitter pour toujours ce pays, cette maison vide où elle ne voulait plus rester seule ; et la Titi, la Maricette (qui ne s'appelaient plus ainsi) étaient devenues de grandes jeunes filles en deuil que je ne savais plus reconnaître.

Entre deux longs voyages, pressé comme toujours, ma vie allant déjà son train de fièvre, je revenais là, moi, pour quelques heures seulement, en pèlerinage de souvenir, voulant revoir encore une fois cette maison de l'oncle du Midi, avant qu'elle fût livrée à des mains étrangères.

C'était en novembre ; un ciel sombre et froid changeait complètement les aspects de ce pays, que je n'avais jamais connu qu'au beau soleil des étés.

Ayant passé mon unique matinée à revoir mille

choses, avec une mélancolie toujours croissante, sous
ces nuages d'hiver, — j'avais oublié ce vieux jardin et
ce berceau de vigne à l'ombre duquel s'était décidée
ma vie, et je voulus y courir, à la dernière minute
avant le départ de la voiture qui allait m'emporter
pour jamais.

« Vas-y seul, alors ! » me dit la cousine, empressée
elle aussi à faire fermer des caisses. Et elle me remit la
grosse clef, la même grosse clef que j'emportais
autrefois quand je m'en allais en chasse, ma papillonnette à la main, aux heures lumineuses et brûlantes
des jours passés... Oh ! les étés de mon enfance, qu'ils
avaient été merveilleux et enchanteurs...

Pour la dernière des dernières fois, j'entrai dans ce
jardin, qui me parut tout rapetissé, sous le ciel gris.
J'allai d'abord à ce berceau du fond, — effeuillé,
désolé aujourd'hui, — où j'avais écrit à mon frère ma
lettre solennelle, et, à l'aide toujours de cette même
brèche du mur qui me servait jadis, je me hissai sur le
faîte, pour regarder furtivement la campagne d'alentour, lui dire à la hâte un suprême adieu : le domaine
de Bories m'apparut, alors, singulièrement rapproché
et rapetissé lui aussi ; méconnaissable, comme du reste
ces montagnes du fond qui avaient l'air de s'être
abaissées pour n'être plus que de petites collines. Et
tout cela, que j'avais vu jadis si ensoleillé, était sinistre
aujourd'hui sous ces nuages de novembre, sous cette
lumière terne et grise. J'eus l'impression que l'arrière-
automne était commencé dans ma vie, en même temps
que sur la terre.

Et du reste, le monde aussi, — le monde que je
croyais si immense et si plein d'étonnements charmeurs, le jour où je m'étais accoudé sur ce même mur,
après ma grande décision prise, — le monde entier ne
s'était-il pas décoloré et rétréci à mes yeux autant que
ce pauvre paysage ?...

Oh ! surtout cette apparition du domaine de Bories,
semblable à un fantôme de lui-même sous un ciel
d'hiver, me causait une mélancolie sans bornes.

Et en le regardant, je repensai au papillon « citron

aurore » qui existait toujours sous sa vitre, au fond de
mon musée d'enfant ; qui était resté à sa même place,
avec des couleurs aussi fraîches, pendant que j'avais
couru par toutes les mers... Depuis bien des années,
j'avais oublié l'association de ces deux choses, et, dès
que le papillon jaune me fut revenu en mémoire,
ramené par le porche de Bories, j'entendis en moi-
même une petite voix qui reprenait tout doucement :
« Ah ! ah ! la bonne histoire !... » Et la petite voix était
flûtée et bizarre ; surtout elle était triste, triste à faire
pleurer, triste comme pour chanter, sur une tombe, la
chanson des années disparues, des étés morts.

1. Sans doute décembre 1888 : Loti a rencontré la reine Elisabeth (en littérature Carmen Sylva ; elle avait traduit *Pêcheur d'Islande*) lors d'un séjour à la cour de Roumanie en septembre 1887. En décembre 1887, il est à terre, affecté depuis juin 1886 au Bureau du Port de Rochefort. Le 6 septembre 1888 il prend le commandement de *L'Ecureuil* (aviso à roues) jusqu'en septembre 1890 (avec un congé en mars-mai 1889 pour la mission au Maroc). Dans son ouvrage *Pierre Loti et Carmen Sylva* (1891-1901), Léopold Stern donne des détails sur cette rencontre. La reine avait traduit *Pêcheur d'Islande* en allemand et souhaitait rencontrer Loti qu'elle invita en Roumanie. La reine avait perdu sa fille en bas âge.
« Carmen Sylva lui raconta le triste roman de sa maternité.

— Et j'ai vu des larmes, de vraies larmes briller dans ses yeux, me dit la Reine. Il me parla de sa propre mère, qu'il adorait ; de son enfance, de toutes ses amertumes d'adolescent. Chaque mot, chaque confidence, contribuait davantage à transformer notre amitié si récente en une amitié de vingt ans.

Il me raconta le premier souvenir qu'il avait gardé de sa mère, un matin qu'il n'avait que trois ans. Il sortait d'une longue maladie et était en convalescence. Sa mère lui apporta des fleurs et des fruits. Il se rappelait exactement la couleur du châle qu'elle portait ce jour-là ; comment elle était coiffée et le bonheur qu'il avait ressenti quand elle s'assit près de son lit. Il me raconta encore qu'il n'avait jamais pu se faire à l'idée que la mort le séparerait un jour de sa mère.

Vous devriez écrire un poème, pour raconter toutes ces belles choses, lui conseillai-je, mais Loti me déclara que les vers n'étaient pas son fort. Il me promit d'écrire en prose sa première enfance. » (p. 25-26).

Plus loin, L. Stern donne la première version, légèrement différente, de la dédicace du *Roman d'un enfant* :

« Il se fait déjà tard dans ma vie, pour que j'essaie d'écrire ce livre ; autour de moi une sorte de nuit commence à tomber. Où trouverai-je à présent des mots assez frais, des mots assez jeunes ?

Je l'entreprends demain en mer. Au moins tâcherai-je d'y mettre ce qu'il y a eu de meilleur en moi, au temps où il n'y avait rien de bien mauvais encore. Je l'arrêterai de bonne heure, afin que l'amour dont j'ai beaucoup parlé dans mes autres livres, n'y apparaisse qu'à l'état de rêve imprécis.

Et je l'offrirai comme un hommage d'extrême admiration, de confiance charmée, de vénération singulière à l'exquise Reine qui, au moment du départ m'envoie pour talisman cette lettre. » (p. 29-30).

Ajoutons que Loti a traduit en français deux textes de C. Sylva, « Mihu l'enfant » et « Mochou et Baba », publiés dans *Le Figaro* en 1888, et reproduits dans le livre de L. Stern.

2. Cette « tante Berthe » est Rosalie Texier (1789-1880) qui a donc plus de soixante ans en 1852. C'est l'aînée des sœurs du grand-père Texier (grand-père maternel), la seule catholique dans ce milieu protestant. Outre la grand-mère Viaud, la « grand-mère aux chansons » qui mourra en 1858, la grand-mère Texier qui disparaîtra en 1868, la maison abrite aussi la tante Clarisse Texier (« tante Claire »), sœur cadette de la mère de Julien, et la tante Corinne (une cousine maternelle). A la fin du chapitre 7, Loti tente d'évaluer (comme il l'a déjà fait dans *Fleurs d'ennui*) l'influence de toutes ces personnes âgées sur la formation de son caractère.

3. Les Duplais. La Limoise se trouve à quelques kilomètres au sud de Rochefort, sur la commune d'Echillais (cf. chapitre 34).

4. Alain Quella-Villéger cite Claude Farrère : « Je sais que son nom de baptême, Julien, a toujours déplu à Loti [...] le prénom de Pierre lui plaisait, et je crois qu'il s'est appelé lui-même Pierre, par une sorte de prépseudonyme, avant d'aller en Océanie. En tout cas, deux ans avant qu'*Aziyadé* n'eût paru, Sarah Bernhardt appelait Loti : Monsieur Pierre. » Il ajoute : « On peut imaginer un déterminisme géographique dans ce choix : le Saint-Pierre d'Oléron des aïeules protestantes, la rue Saint-Pierre natale, ou bien des éléments affectifs comme son amitié pour le mousse Pierre le Cor » (*Pierre Loti l'incompris*, p. 357). On peut aussi penser au Roche (pierre) de Rochefort.

5. Le 12 juin 1865 à son retour de Guyane où elle avait suivi son mari.

6. Dans la *Revue Pierre Loti* (octobre-décembre 1980), Daniel Hervé démontre que ce village est probablement Saint-Georges-de-Didonne, au sud de Royan, où la famille séjourne « à plusieurs reprises pour des saisons de plage ».

7. L'île d'Oléron d'où était originaire la famille Renaudin, famille de la mère de P. Loti (cf. chapitres 8 et 10). Nous avons conservé dans le texte l'orthographe de Loti : Oleron sans accent.

8. Nadine Texier était née en 1810, Julien en 1850.

9. Au cours de son premier séjour en Turquie (1876-1877) Loti habite d'abord Pera. Puis il déménage et va habiter Eyoub « dans le vieux Stamboul ». Le texte d'*Aziyadé* ne mentionne pas ce rayon de soleil.

10. Marie était née en 1831, Gustave en 1836, ils ont donc dix-neuf et quatorze ans de plus que Julien.

11. Le dessin fut la première vocation de Loti, qu'il pratiqua jusqu'à la publication de ses premiers livres. Plusieurs expositions ont été récemment consacrées aux dessins de Loti.

12. Loti romance un peu la réalité : Jean-Louis Adolphe Viaud fut bien victime du naufrage de la *Méduse,* mais il ne mourut pas ni ne fut mangé sur le fameux radeau ; son père, lui, était mort du typhus un mois avant la bataille de Trafalgar.

13. Dans *Un jeune officier pauvre* (fragments du journal intime rassemblés par son fils Samuel Viaud) : « Magellan, septembre 1871 : Le détroit de Magellan est devenu une voie importante pour la navigation à vapeur ; mais les deux rives sombres de ce grand détroit ne portent nulle part les traces de la civilisation et les marins qui, en passant, mettent pied à terre n'ont aucun secours à attendre d'un pays aussi inhospitalier. »

14. La partie nord-est de l'île. C'est là que se trouve la Brée, le village de pêcheurs du chapitre 20.

15. Presque toute la famille Renaudin avait fui Oléron pour la Hollande au moment de la révocation de l'Edit de Nantes (cf. chap. 29). En 1898, Loti consacrera une pièce, *Judith Renaudin,* à cette famille exilée.

16. Loti reprend ce thème dans son « Discours de réception à l'Académie française » du 7 avril 1892 : « Des différentes légendes que mon constant éloignement a laissées se former autour de moi, et qui sont en général pour faire sourire, celle-ci par hasard s'est trouvée fondée : je ne lis jamais. C'est vrai, par paresse d'esprit, par frayeur inexpliquée de la pensée écrite, par je ne sais quelle lassitude avant d'avoir commencé, je ne lis pas. » Dans sa rencontre avec Loti, le Jean Santeuil de Proust note ce même trait (*Jean Santeuil,* II, 153).

17. *Evangile* selon saint Matthieu, XXV, 1-13. Dans la suite du chapitre, plusieurs citations de l'*Apocalypse.*

18. Dans une lettre (inédite), sans doute de 1859, Julien écrit à « Mon bon bébé » (correspondant non identifié) : « J'ai reçu de bien belles étrennes : maman et papa m'ont donné un joli tabouret de piano ; papa m'a donné aussi un joli petit calendrier, tante Claire et grand-mère les jeunes naturalistes par Mlle Ulliac-Trémadeur. »

19. Il s'agit visiblement d'un filet à papillons. Le mot ne figure pas dans les dictionnaires.

20. *Monsieur Cryptogame* est le titre d'un des albums comiques de l'écrivain suisse Töpffer (1799-1846) auquel il est fait plusieurs autres allusions dans le livre (p. 104 Monsieur Ratin ; p. 119, Loti nomme Töpffer « le seul véritable poète des écoliers »). En 1864, Julien écrit et dessine avec sa sœur Marie un petit roman illustré, très imité de Töpffer : « Aventures de Mr. Pygmalion Piquemouche et de Mlle Clorindon sa poétique fiancée » (publié en fac-similé dans *Le Manuscrit autographe*, avril-septembre 1933).

21. Les guerres napoléoniennes : le père de Julien, Jean-Théodore Viaud, était né en 1804.

22. Loti fait sans doute allusion à la mort de Gustave (1865), à l'emprisonnement de son père (1866) qui provoque la ruine presque totale de la famille Viaud. Loti avait donné ce nom d'Azraël (l'ange de la mort) à la dernière partie d'*Aziyadé*, qui raconte la mort des deux personnages principaux.

23. Elle était la fille de Marcel Chabot, artisan-poète. Celui-ci a écrit sur ce même épisode un poème « Véronique de l'île » (*La Rose dans la haie*, 1953). Le texte de Marie se trouve dans les Annexes.

24. Voir Préface, p. 17. Et, en Annexe, le texte du Petit Cahier.

25. *Apocalypse* de saint Jean, VIII, 13, IX, 1 (mais le texte de la traduction Crampon — catholique — donne « aigle » et non « ange » dans le premier verset). Le Musée Pierre Loti de Rochefort conserve une autre Bible, celle de Gustave, donnée à Julien par leur mère après la mort de l'aîné. Pierre Loti a noté sur la page de garde : « La Bible de mon frère Gustave, en tête de laquelle ma mère avait écrit pour lui les paroles qu'il se faisait lire au moment de mourir, dans le golfe du Bengale. Elle m'avait été donnée par ma mère et elle a été longtemps ma plus précieuse relique. Je voudrais que fût respectée aussi la fleur de pied d'alouette rose desséchée entre les pages. Pierre Loti. » La fleur séchée est toujours là...

26. Henri Tayeau, mari de Virginie Texier, né en 1793, mort en 1877, chirurgien de marine ; il habitait rue des Fondines.

27. Samuel Renaudin, procureur fiscal à Saint-Pierre d'Oléron, avait fait semblant de se convertir au catholicisme pour pouvoir rester dans l'île. Ces lettres de Hollande, qui parlent surtout du mariage de Judith avec un autre exilé, existent encore dans la famille Loti-Viaud ; les cachets de cire ne sont pas « très larges »...
La citation un peu plus bas vient de l'*Apocalypse*, XVII, 7-9.

28. Au XVIIᵉ siècle, lieux de refuge des protestants dans le sud-est du Massif central. Près d'Anduze, dans le Gard, un « musée du désert » porte encore témoignage de cette période.

29. Lors de son séjour à Tahiti en 1872 ; Voir *Le Mariage de Loti*, p. 5, et p. 42-43.

30. Toute cette description correspond exactement au trajet de Rochefort à Echillais par la porte Martrou; la rivière est la Charente.

31. Le *Robert* donne : « Arantèle ou arantelle : toile d'araignée (dialect.) » L'aranteloir serait l'équivalent de la « tête de loup ».

32. Probablement Amélie Regreny, fille de Madeleine Barbotin, amie d'enfance de Nadine Texier. Les Regreny étaient à l'époque locataires des Viaud.

33. Pierre Bon, percepteur en retraite à Bretenoux dans le Lot. Son fils aîné, Aimé, né en 1828, tenait à Paris une pension de famille où Julien séjournera lors de ses études (1866-1867, voir *Prime Jeunesse*). Le deuxième fils, Armand, né en 1831, épousera Marie Viaud. Il y avait aussi une cousine, Ernestine, née en 1835.

34. *Cyropédie* ou *Education de Cyrus* de Xénophon.

35. Grande ombrelle pouvant servir de parapluie.

36. Bretenoux dans le Lot, au bord de la Cère. Ce premier voyage date d'août 1861. Pour tout ce qui concerne ces vacances, voir l'article de R. Guéneau, « En Quercy », dans les *Cahiers Pierre Loti*, nos 3 et 4 (février et mai 1953).

37. Dans ce paragraphe Loti fait successivement allusion à ses années d'Ecole navale à Brest, à Pierre Le Cor (le marin ami de Loti qui lui servit de modèle pour *Mon frère Yves*) et à « l'Islandaise » (fille d'un pêcheur d'Islande) qu'il aima sans succès.

38. Les Peyral se nomment en réalité les Trassy (propriétaires de la maison occupée par les Bon); plus loin les Sainte-Hermangarde s'appellent les Sainte-Fortunade. Le nom du château, Castelnau, lui, est exact.

39. Ce collège de Rochefort est maintenant le lycée Pierre-Loti.

40. En 1862-1863, les professeurs de Julien sont M. Brunet (lettres pures), M. Cons (histoire), M. Itschner (mathématiques), M. Berindoague (anglais, allemand). A la distribution des prix, il obtient un deuxième accessit de version latine, le troisième accessit d'histoire et géographie, le troisième accessit de thème latin, le deuxième accessit de vers latins, le troisième accessit de version grecque, le prix d'arithmétique et géométrie. Il n'est pas nommé en narration française (Voir *Revue Pierre Loti*, oct.-déc. 1986).

41. Spirées de la famille des rosacées.

42. *Iliade*, 1, 34 : « Il s'en va en silence le long de la grève où bruit la mer » (trad. Paul Mazon).

43. *Bucoliques*, IX, 60 : « Nous voici juste à mi-chemin car le tombeau de Bianor commence à apparaître » (trad. Berthaut);

Bianor fut le fondateur de Mantoue. Les deux bergers mentionnés plus loin sont Mœris et Lycidas.

44. Ce mot rare (il date de 1840) est cher à Loti : on le trouve, par exemple, dans *Madame Chrysanthème* et dans son « Discours de réception à l'Académie française », comme on le voit d'après cet article (cité par A. Quella-Villéger, *op. cit.*) : « Sait-on de combien de mots est composé le discours prononcé hier à l'Académie par M. Pierre Loti ? De 8 153 mots, qui renferment eux-mêmes 38 375 lettres. Les mots : *moi, mon, mes* sont employés 137 fois, et le mot *je* 175 fois. Les mots qui reviennent ensuite le plus souvent sont : vie, charme, tristesse, étrange, cœur, rêve, âme. Il s'y trouve un mot nouveau : *saugrenuité*, que nous verrons, sans doute, dans la prochaine édition du fameux dictionnaire. »

45. Ces trois vers sont extraits du long poème « Rolla ».

46. Arbres décorés qu'on installait dans les rues pour fêter le printemps.

47. « Don Paez », sombre poème de jalousie et de mort, date de 1829.

48. Gustave se trouve alors en Indochine, à Poulo-Condor.

49. C'est le nom du navire-école, ancré en rade de Brest, à bord duquel les jeunes recrues de l'Ecole navale (Loti est reçu 40e sur 60 en 1867) font leur apprentissage.

50. En avril 1876, Loti apparut à Toulon au Cirque Etrusque « en clown exécutant, devant un public enthousiaste, des équilibres et plusieurs genres de sauts périlleux. […] C'est un vrai succès, les bouquets pleuvent avec des oranges et des jouets d'enfant. Trois rappels, trépignements, triomphe d'un quart d'heure ». (*Un jeune officier pauvre.*) L'année précédente il avait fait un stage de six mois de musculation à l'Ecole de Joinville.

ANNEXES

I

Extrait de *Fleurs d'ennui* (1882)

Malgré vos protestations, vous voyez que j'en reviens toujours à mes souvenirs d'enfance ; c'est que je voudrais faire mes fleurs jaunes un peu moins fanées que les vôtres (de peur que notre bouquet ne vînt à ressembler à un vieil herbier, vous comprenez). Et alors je suis obligé de remonter assez loin, pour trouver encore quelque chose de frais dans ma vie.

Plumkett, j'ai été élevé dans ma première enfance comme une petite fleur rare de serre chaude. Si dans la suite j'ai tourné à la brousse de maquis, à la plante de hallier, c'est à l'encontre de toutes les prévisions, au rebours de toutes les probabilités.

Aujourd'hui encore, je retrouve très facilement les façons d'être, les apparences, les intonations, — même les impressions de l'enfant très doux que j'ai été jadis ; je mêle cela avec mes sentiments de rouleur, de blasé, d'égoïste et de sauvage. Je suis un composé du tout. C'est peut-être pour cela, mon Dieu, que j'ai été quelquefois un peu aimé, — les femmes choisissant toujours de préférence ceux qu'elles ne comprennent pas.

L'homme que je suis devenu couvait déjà, de très bonne heure, sous l'enfant que j'étais : — enfant élevé à l'écart des autres enfants, maintenu dans une extrême ignorance du mal et de la vie ; — enfant bien pur, vivant de rêveries et de contemplations de la nature.

Au bord de la mer, je me vois encore à six ou sept ans, étendu au soleil, comme un petit lézard sur la plage de sable, écarquillant mes yeux par les temps bien clairs, pour regarder, derrière les voiles lointaines qui passaient à l'horizon, si je n'apercevais pas par hasard l'Amérique...

Oh! ces régions éloignées où le soleil brûle, ces forêts tropicales, — en ai-je rêvé jadis, — en m'isolant pendant de longues heures d'été dans les recoins solitaires des bois... C'était une fascination et en même temps une mélancolie inexprimable que me jetait de loin cette nature inconnue des tropiques.

Je me rappelle aussi, — et c'eût été là l'indice le plus inquiétant, si l'on s'en fût douté, — je me rappelle que, quand j'étais couché, bien douilleté dans mon lit blanc, cela me troublait d'entendre le soir dans la rue la gaîté bruyante et les chansons des matelots qui revenaient des pays lointains de la mer. J'écoutais, j'écoutais ces chants rudes, qui s'en allaient se perdre dans les rues basses avoisinant le port. Et, sans pouvoir m'endormir, j'étais pris de rêveries extraordinaires, en songeant à ces pays d'où revenaient ces hommes bronzés, à cette vie et à ces aventures. — Qui l'eût soupçonné alors, ce qui se passait dans ma tête!...

Tout cela avait pour moi l'attrait des choses prohibées, impossibles; il était bien entendu à cette époque, et admis même par moi, que je ne quitterais jamais l'égide de la famille; que je deviendrais un homme « utile à la société », très rangé, très bien pensant et très austère... Qui m'eût dit que, plus tard, je dirigerais et je partagerais leurs fatigues, leurs aventures et leurs plaisirs, à ces hommes qui avaient l'outrecuidance de chanter la nuit, et de ne pas se coucher pour faire tapage...

Un certain jour d'été, par la grande chaleur de juin, je m'en allais raisonnablement, mon carton de musique sous le bras, prendre ma leçon de piano. J'avais, je pense, environ douze ans. C'était la première fois qu'on me laissait sortir dans la ville sans être accompagné. Je m'en allais à l'ombre, en suivant l'allée du rempart. Par-dessus le parapet de pierres grises, je regardais la campagne, la plaine tranquille, inondée de soleil, avec des bois qui apparaissaient tout au bout de l'horizon.

Il n'y avait personne sur ce rempart, peu fréquenté à l'heure chaude de midi. Cependant deux mousses parurent, qui sortaient de derrière un talus. Ils firent quelques pas en musant, et puis s'assirent par terre contre un ormeau. C'étaient deux enfants un peu plus âgés que moi et déjà brunis par le hâle de la mer.

« Espèce de singe du Brésil ! » disait le plus grand à l'autre, en lui tirant une oreille...

Singe du Brésil !... Ce mot de Brésil me rendit rêveur ; — et je regardai à l'horizon, du côté du bois ensoleillé ; il me passait en tête je ne sais quelle intuition ou quel mystérieux ressouvenir de forêt vierge... Sans doute ils y avaient été, au Brésil, ces mousses, pour en parler... Je m'arrêtai timide, derrière eux, désirant encore les entendre.

Eux me virent et engagèrent brusquement la conversation. Mon costume, examiné par eux de la tête aux pieds, parut leur inspirer un certain respect, et ils furent réservés d'abord. Mais je sentais, dans leurs questions, quelque chose de sourdement moqueur : la pitié et l'ironie des enfants libres, développés déjà sur la grande mer, vis-à-vis de l'enfant privé, choyé dans sa cage comme un petit oiseau rare. Et je m'étonnais de leur ton bref, de leurs allures hardies que je n'avais pas.

En effet, ils en revenaient, du Brésil, et me parlèrent de gros fruits très bons à manger, de perroquets verts, de négresses et de singes.

Éd. Calmann-Lévy.

II

Extrait du « *Petit Cahier* » (1866 ou 1867)

Un mercredi soir à La Limoise [*titre ajouté plus tard*].

Je me rappelle un mercredi soir où je me rendais comme de coutume à La Limoise. Henri m'avait conduit jusqu'à l'entrée du chemin des Chaumes et nous attendions là M. Duplais qui devait venir au devant de moi et m'accompagner le reste de la route. C'était à l'heure du coucher du soleil... il y a plus de dix ans de cela et j'étais bien jeune à cette époque.

De loin, dans cette grande plaine des Chaumes, j'aperçus le vieillard venir à moi en s'appuyant sur sa canne et je ne sais pourquoi, sa vue me causa quelque effroi. Il me semblait plus grand qu'il n'était naturel et je ne fus tout à fait rassuré que quand je lui eus parlé.

L'orage qu'il faisait ce soir-là, jamais je ne l'oublierai car mon souvenir ne me le représente pas comme un orage ordinaire ; le ciel était encombré de nuages cuivrés et les éclairs n'apparaissaient pas comme de subites illuminations,

mais comme des serpents d'un feu rougeâtre qui se tordaient
dans tous les sens.

Ce spectacle étrange réveillait en moi comme le souvenir
indécis de choses que j'aurais vues plusieurs siècles auparavant (ou du moins je ne pus m'expliquer autrement le
sentiment que j'éprouvais). J'avais entendu parler des
Druides comme des premiers habitants de la Saintonge et je
sentis que ce pays devait [avoir] ce soir-là, le même aspect
qu'aux temps où vivaient ces peuplades mystérieuses.

Quand nous fûmes entrés dans la maison, je fus particulièrement frappé de la vue de ce grand salon de campagne que
le bruit du tonnerre faisait trembler jusque dans ses vieilles
fondations. Je me souviens que les fenêtres étaient entr'ouvertes et que les longs rideaux blancs s'agitaient dans
l'obscurité.

Nous étions seuls, ma sœur Lucie et moi, et comme les
sentiments sont contagieux, une sorte de peur nous prit tous
les deux sans que nous puissions nous en rendre compte. Je
crois que, pour lui donner le change, nous nous mîmes
comme deux enfants à courir autour de la table en riant aux
éclats.

J'apportais ce soir-là un petit livre à couverture rose tout
neuf, un recueil de littérature que mon professeur venait de
me faire acheter et dans lequel j'avais une longue leçon à
apprendre pour le vendredi. Nous nous mîmes tous les deux
à la fenêtre et là, à la lueur des éclairs, nous lûmes je ne sais
quel morceau qu'il m'a été impossible de me rappeler dans la
suite. Je regardais malgré moi dans le jardin en lisant ; je me
mis à penser avec inquiétude que derrière ce jardin étaient
de grands bois de chênes, une vaste plaine de bruyères tout
éclairée par l'orage. Le sentiment elmique, le sentiment
elmique effrayant, s'empara de moi avec une puissance
inaccoutumée, comme si la cause ou l'être qui le produisait
s'approchait fatalement de nous, jusqu'à nous toucher. La
pensée des Druides revint aussi me faire frissonner [*quelques
mots sont raturés*] ; je les vis courir comme des fous dans les
bruyères ; je les sentis rôder tout autour de nous dans les
bois, nous envahir, nous cerner de toutes parts ; et je
regardai timidement si quelqu'une de leurs sombres figures
n'apparaîtrait pas aux fenêtres. Enfin je fus en proie à un
sentiment plus terrible, inexplicable, comme tant d'autres
sentiments qu'ont les enfants ; il me sembla que ces êtres
allaient à tout jamais nous séparer l'un de l'autre par la mort
et je me cramponnai à ma sœur avec angoisse.

Depuis cette soirée j'ai eu le pressentiment que l'un de nous deux ne tarderait pas beaucoup à mourir et j'ai conservé cette idée jusqu'au moment où l'événement s'est réalisé.

De tout ce que je viens de dire je n'ai gardé qu'un souvenir confus et tourmenté comme celui qu'on garde de certains rêves, si bien que, parfois, j'en mets en doute la réalité. Depuis ce temps-là j'ai grandi, j'ai passé par de vives émotions de différentes sortes, mais qui m'expliquera pourquoi je ne peux pas y penser sans une vague terreur, sans jeter un regard inquiet derrière moi si je suis seul dans l'obscurité, pourquoi ai-je conservé un culte pour ce petit livre à couverture rose, pourquoi m'a-t-il toujours causé quelque crainte comme s'il avait reçu le contact d'un être surnaturel, pourquoi ai-je évité de m'en approcher quand il faisait noir et de le garder la nuit dans ma chambre ?

Pauvre petit livre, seul témoin palpable qui me restait de cette soirée, je ne devais pas le garder longtemps. Un soir, à La Limoise, je le trouvai détrempé, honteusement enfoui dans la boue, une grosse loche rouge avait même grimpé dessus. J'ai fait un trou dans la terre et je l'ai enterré au milieu du carré des asperges. J'ai éprouvé un soulagement mêlé de peine de ne plus l'avoir en ma possession.

III

Extrait du « *Petit Cahier* »

Pauvre petit chant si simple et si triste quand t'ai-je entendu ? C'est hélas il y a un an pour la dernière fois, j'étais encore enfant au foyer paternel, mais ces jours bienheureux sont passés, tout a changé autour de moi comme dans mon cœur. Je suis seul maintenant dans ce grand Paris, seul dans ma chambre d'étudiant noire et dénudée au milieu de ce quartier Latin dont l'influence malsaine a déjà commencé en moi son travail corrupteur. Dans cette chambre tout répugne aux yeux, tout a l'aspect sordide que prend la misère dans les grandes villes et je suis là sans feu, par la pluie glaciale qui bat les vitres. Tous mes camarades sont répandus dans les cafés des boulevards, s'étourdissent au bruit, à l'aspect des lumières, des salles richement décorées

et serrent dans leurs bras des femmes qui les aiment ou font
semblant de les aimer. Pourquoi ne fais-je pas comme eux,
moi ? Ah ! parce que ma mère bien-aimée m'a appris à
chercher mon bonheur autre part et puis aussi parce que je
suis pauvre et qu'il faut de l'argent pour ces plaisirs-là, mais
je suis à bout de forces pour la lutte ; si je n'ai pas succombé,
je sens que je suis près de ma chute ; j'ai cessé de prier, je
suis déjà tombé moralement et je n'ai plus d'estime pour
moi-même. Je sais qu'elles m'aimeront aussi ces femmes,
quand je voudrai de leur amour. Pourquoi venir me troubler
maintenant pauvre petit chant, et quand t'entendrai-je
encore ? Jamais !

Quand je t'entendais autrefois, c'était dans mon pays
pendant les longues soirées d'hiver ; depuis mon enfance,
assis devant un feu de flamme réjouissante, au milieu de mes
parents chéris, j'ai entendu tous les soirs la vieille marchande passer devant la porte en chantant sa chanson. Ce
n'était que dans cette saison que la vieille chantait ; elle
annonçait l'hiver comme les ramoneurs l'annoncent, comme
les hirondelles annoncent le printemps, et quand, pour la
première fois de l'année, on l'entendait chanter, on disait :
« Voilà l'hiver rendu... »

Souvent au moment de m'endormir bien chaudement
dans mon lit blanc, j'ai entendu le cri de la vieille qui passait
sous la fenêtre. A ce cri j'attachais alors un charme
mystérieux, comme les enfants en attachent à certaines
choses sans savoir pourquoi.

Souvent aussi, quand nous étions tous réunis dans le
salon, les soirs d'hiver, la voix sonore et triste de la vieille
femme s'entendait dans le lointain et c'était un de mes
grands plaisirs d'enfant que de sortir sur la porte et de lui
acheter une de ses larges galettes. Je me rappelle alors la rue
large et solitaire, les réverbères qui éclairaient les pavés
blancs ; on entendait les pas de la vieille qui trottait vivement
et disparaissait au tournant de la rue de Vermandois, pour
s'enfoncer dans les rues basses qui longent le port.

Il semblait dans ce temps-là que tous les bonheurs qu'on
pût avoir sur la terre, nous les avions et je ne crois pas
qu'une enfance ait été plus heureuse que la mienne. (*Ici, dix
lignes et demie ont été raturées.*)

Que ne donnerais-je pas maintenant pour une seule de ces
soirées d'autrefois, pour un seul moment de ces soirées
auxquelles était mêlé le cri de la vieille marchande.

Hélas ! je ne le verrai plus qu'en souvenir ce salon si

joyeux quand le dimanche soir nous y étions tous réunis, mais de peur que le temps n'ait effacé quelque chose de ces souvenirs, tout à l'heure je les ai repassés dans mon esprit et je m'y suis alors abîmé si entièrement que j'ai revu le grand salon comme dans un rêve, je me suis amusé à suivre tous les détails de l'ameublement d'un goût si calme et si sévère, la cheminée de marbre noir, ses urnes, ses candélabres de marbre et de bronze, les fauteuils en cercle, mon piano ouvert, la haute lampe bleue en forme de vase brûlait doucement sur la table du milieu, le feu flambait, les portraits de famille étaient toujours là rangés autour de moi et de calmes raies d'or descendaient le long des murailles sombres. Au milieu de ces images du passé les souriantes figures de mes parents bien-aimés m'apparurent aussi — les plus âgés, mes vieilles tantes, ma vieille grand'mère — assis près du feu dans leurs fauteuils, ma sœur, mon frère, Lucie et ma mère chérie, encore si jolie et si radieuse.

Tout à coup, éclatant comme le son du cor d'Hernani, lugubre comme le chant de l'enchanteur d'Aladin, le chant de la vieille femme est venu me faire tressaillir et tout ce charme a été détruit, je me suis réveillé et me suis trouvé seul.

Pauvre petit chant que j'ai entendu tant de fois, je ne t'entendrai plus. Où sont-elles maintenant ces joyeuses veillées d'hiver ? Où est-il ce temps bienheureux ? Tout cela est passé, passé à jamais, passé sans espoir et il ne m'en reste plus que le souvenir et les regrets déchirants. Sur toutes ces joies, le malheur a étendu ses ailes ténébreuses et le temps nous emporte bien loin de ces jours de bonheur. Mon frère dort maintenant au fond du Golfe de Bengale, ma sœur est couchée au cimetière. Je voudrais m'attacher plus fortement que jamais à tous ceux de ces bien-aimés qui me restent et que le malheur a accablés ; mais je vais être marin et courir le monde, bien des hivers passeront pour moi loin du foyer et si j'y reviens, dans des années, les pauvres vieilles auront laissé leur place vide au coin du feu. Et sais-je même si j'aurai encore une maison, un toit paternel ? La misère, l'affreuse misère va peut-être nous en chasser et alors, quand les soirs d'hiver la vieille marchande viendra crier sous les fenêtres, la maison sera silencieuse et déserte, la porte ne s'ouvrira pas...

Les deux extraits du « Petit Cahier » ont été publiés par R. Guéneau dans les *Cahiers Pierre Loti*, n°s 23 à 27.

IV

Voici les pages écrites par Marie Viaud lors du séjour à La Brée (Oléron), que Loti déclare reproduire textuellement (au chapitre 20 du *Roman d'un enfant*.) En décembre 1889, Loti écrit à sa sœur pour lui demander l'autorisation de les reproduire.

Dans le texte de Marie, « Petite Mère » est Marie elle-même, « John » est Gustave le frère aîné et « Willie » Julien (Pierre Loti).

Ces pages ont été publiées dans la *Revue Pierre Loti*, 3e année, n° 10, Avril-Juin 1982.

LA BRÉE

Ils étaient venus tous trois passer un mois d'août, Petite Mère et ses deux frères ; ils étaient au milieu du village sur la place, dans la belle maison de M. le Maire...

M. le Maire n'habitait qu'un côté, car la maison avait deux ailes bien étendues sans mesurer l'espace ; elle éclatait au soleil, éblouissante de chaux ; les contrevents bien massifs et peints de vert foncé. Les belles de nuit s'élevaient à la porte, dépassant de leur jolie tête rose et jaune pâle le fouillis de réséda ; elles s'épanouissaient à midi et répandaient une douce odeur d'oranger.

Ils avaient deux chambres seulement ; John montait dans la sienne par un escalier à pic en manière d'échelle ; le lit à l'angle en aurait tenu quatre... En bas, Willie couchait à côté de petite mère ; encore tout petit il était ; le matin elle peignait ses cheveux blonds et lui passait sa petite jaquette de toile ; puis elle lui mettait un grand chapeau de paille ; puis on partait tout de suite pour la côte, pendant que Mme H. la femme de Mr. le maire faisait leur déjeuner. On traversait la place à droite et on tombait dans le petit chemin creux ensablé qui y descendait rapidement... Alors la troupe des naturels avait l'éveil et se mettait en branle... à la douzaine, tous bruns et hâlés, leurs petits pieds nus, ils suivaient ou bravement précédaient, se retournant de temps à autre, et écarquillant leurs grands yeux noirs. — Des messieurs et des dames ! dans le pays, à cette époque, c'était chose assez rare pour qu'il valût la peine de se déranger.

On arrivait ainsi sur la plage... John suivait un instant sur le sable humide, son livre ouvert... Il travaillait ferme alors pour le grand événement capital de son existence, sa chère existence qui devait être si vite et si cruellement fauchée... Willie courait aux coquillages qui étaient ravissants sur cette partie de la côte... De toutes les couleurs vives et fraîches de l'arc en ciel, des plus délicats de forme et de proportion... Il en trouvait quelquefois d'extraordinaires qui faisaient son admiration et les petits qui suivaient, toujours silencieux, lui en apportaient plein les mains, sans rien dire. Willie les prenait et quand petite mère tournait la tête il leur fourrait dans leur chapeau les sous qu'on lui donnait pour ses récompenses...

Véronique était une des plus assidues, de l'âge de Willie, six ans au plus, son petit visage doux et rêveur au teint mat, avec deux admirables yeux gris... Tout cela était abrité sous une grande kisnotte, un vieux mot sans doute, si ce ne sont les Anglais qui l'y ont laissé ; après tout la coiffure peut avoir été inventée pour un genre particulier d'invasion... En tout cas, Véronique n'eût point été d'avis d'un pareil refus ; jamais petite créature plus tendre... Elle se glissait près de petite mère et de Willie, s'emparait souvent de sa menotte et ne la quittait plus... Ils marchaient comme les bébés qui se plaisent tenant ferme la main, ne parlant pas et se regardant de temps en temps... puis un baiser par-ci, par-là...

« Voudri ben vous biser » disait-elle quelquefois à petite mère, en lui tendant les bras avec une tendresse touchante... Et elle, petite mère, la soulevait, se laissait embrasser et lui rendait bien fort sur ses bonnes petites joues...

L'heure du bain arrivait... Il y avait huit pieux fichés en terre qui faisaient deux cabines avec les draps roux de la bonne Mme H... une pour John, l'autre pour Willie et petite mère qui le déshabillait et l'envoyait barbotter sur la plage. Il tâchait d'attraper la vague qui s'enfuyait toujours et promenait le varech, les méduses et les crabes. La troupe s'asseyait en rond autour des cabines... quelques-uns des plus enhardis présentaient à petite mère des brins d'immortelles ou de criste-marin... Après le bain, on se séchait au soleil et, tout en costumes, on montait aux tas de sable et on dévalait jusqu'en bas, à la grande joie de Willie, qui envoyait dans l'air ses frais éclats de rire. Puis la marée descendait et on entrait dans les trous que l'eau avait laissés et on ramassait des gembles qui s'attachaient si ferme au rocher et qu'il fallait sortir avec des couteaux.

On revenait déjeuner et le tantôt et le soir on revenait encore à la plage et c'étaient toujours les mêmes charmantes choses et petite mère et John et Willie se sentaient comme s'ils fussent les plus heureux de la terre.

Pourtant il y avait une grande, grande tristesse à l'horizon, car certainement John partirait bientôt ; cette grande mer si grande que l'œil s'y perdait, l'emporterait... De quel côté ?... on ne le savait pas bien... mais elle l'emporterait certainement...

Quelquefois ils allaient, en suivant l'eau, loin, bien loin devant, tous trois, les pieds nus... au retour grand frère portait souvent petit Willie sur ses épaules... Ils retrouvaient leurs chaussures où ils les avaient laissées... Qui aurait eu l'idée de les prendre ?

Petite Véronique courait à la porte de M. le maire dès qu'elle était levée ; elle s'y asseyait, tapie comme un petit barbet et elle attendait... Willie pensait bien qu'elle était là ; il se faisait matinal ; vite, il fallait que petite mère le lavât et peignât ses jolis cheveux blonds comme de la cendre rose ; il courait trouver sa petite amie ; ils s'embrassaient et se parlaient de leurs trouvailles de la veille ; quelquefois Véronique, avant de venir là, s'asseoir, avait déjà été à la plage et rapportait des merveilles, cachées sous son tablier...

Un jour Willie avait dit à Véronique : « Nous nous marierons tous deux ; je demanderai à petite mère et à John et à ma maman là-bas et à mon papa. »

Un matin, il vint une grande voiture, des chevaux qui menaient autant de bruits que la grand marée, des coups de fouets, une trompette... je ne sais quoi... Il descendit toute une joyeuse société à la porte de M. le maire, sur la place tranquille... C'étaient des visites pour John et petite mère... On fit un grand déjeuner avec tout ce qu'ils avaient apporté... Willie se glissait de table pour porter des amandes et des biscuits à Véronique, mais elle ne se souciait guère de cela... elle aimait bien mieux la douce vie passée à regarder son petit ami et à courir avec lui sur la plage déserte...

Ce jour-là elle put à peine le voir... Avec ses petites jambes, il suivit tout le jour la bruyante société que rien ne fatiguait.

« Demain nous nous amuserons tout seuls » dit-il en passant à la petite...

Ce fut bien court les jours qui vinrent ensuite... Au 15 septembre, il fallut quitter le village... John allait partir...

Willie fit des monceaux de coquilles, d'algues, de plantes marines ; insatiable, il empaquetait avec Véronique qui l'aidait de tout son pouvoir...

Il revint encore une fois, une grande voiture jaune et rouge ; mais cette fois là, il n'y avait pas de trompette... Ils montèrent tous trois dedans avec les paquets de Willie dont les grands yeux déjà pleins de tristesse regardaient le petit chemin creux ensablé et sa petite amie qui sanglotait... John et petite mère se sentirent pris, non point pour la première fois sans doute, d'une rêverie inquiète en le regardant... Ils se disaient : « Que sera-ce de ce petit enfant ?... »

Que sera-ce aussi de sa petite amie dont la silhouette persistante se montre au bout du chemin du village...

Qu'y a-t-il d'angoisse dans ce cœur d'enfant, de désespérance, d'abandon et de douleur ?...

Que sera-ce du paisible village, du coin ignoré où tant de générations ont vécu, pratiquant simplement les vertus des simples ?

BIBLIOGRAPHIE

BARTHES, Roland : Préface à *Aziyadé*, in *Nouveaux Essais critiques*, Seuil, 1972 (le retour de la critique contemporaine à Loti).

BLANCH, Lesley : *Pierre Loti*, Seghers, 1986 (biographie).

BUISINE, Alain : *Tombeau de Loti*, aux Amateurs du livre, 1988 (à ce jour l'essai le plus complet sur l'œuvre de Loti).

FARRÈRE, Claude : *Loti*, Flammarion, 1930 (souvenirs d'un ami et contemporain).

FARRÈRE, Claude : *Cent dessins de Pierre Loti commentés par.*, Tours, Arrault, 1948.

LAINOVIC, Risto : *Les thèmes romantiques dans l'œuvre de Pierre Loti*, thèse doctorat d'université, Paris III, 1977 (étude utile).

LE TARGAT, François : *A la recherche de Pierre Loti*, Seghers, 1974 (biographie).

QUELLA-VILLÉGER, Alain : *Pierre Loti l'incompris*, Presses de la Renaissance, 1986 (biographie et essai insistant sur le rôle politique de Loti).

ROBERT, Louis de : *De Loti à Proust*, Souvenirs et confidences, Flammarion, 1928.

VALENCE, Odette, et PIERRE-LOTI VIAUD, Samuel : *La Famille de Pierre Loti*, Calmann-Lévy, 1940 (livre de souvenirs réunis par une amie et par le fils de Loti).

Une bibliographie très complète des livres et articles consacrés à Loti et à son œuvre se trouve dans l'ouvrage de A. Quella-Villéger.

On consultera, par ailleurs, la collection des *Cahiers Pierre Loti*, publiés de 1952 à 1979. Ainsi que la *Revue Pierre Loti* qui paraît depuis 1980.

CHRONOLOGIE

Nous avons donné, proportionnellement, davantage de renseignements sur les premières années de la vie de Julien et sur le début de la carrière de Pierre Loti, jusqu'à la publication du *Roman d'un enfant*. Pour ne pas surcharger cete chronologie, nous donnons à part la liste des œuvres complètes de Loti (empruntée à l'ouvrage de A. Quella-Villéger, *Pierre Loti l'incompris*).

1850 : Le 14 janvier, naissance à Rochefort de Louis-Marie-Julien Viaud, troisième enfant de Nadine (Texier) et de Jean-Théodore Viaud, secrétaire en chef à la mairie (puis receveur municipal).

1854 : A Saint-Pierre-d'Oléron, vente de la maison de famille des Texier (que Loti rachètera en 1899).

1858 : Août-septembre : séjour à Oléron à La Brée avec Marie (amourette avec Véronique).

Décembre : mort de la grand-mère Viaud ; départ du frère aîné, Gustave, chirurgien de marine, pour la Polynésie.

1859 : Julien est élève pour une année (en septième) de l'institution protestante Bernard-Palissy.

1861 : Vacances d'été avec Marie, sa sœur, à Bretenoux (Lot), chez un oncle, Pierre Bon. Ils y retourneront en 1862 et 1863.

1862 : De septembre à décembre séjour de Gustave à Rochefort.

Octobre : entrée de Julien au collège.

1863 : Septembre : Julien écrit à Gustave qu'il a pris la décision de devenir marin.

Fiançailles de Marie avec son cousin Armand Bon.

1864 : Août : mariage de Marie et d'Armand. Ils s'installent à Saint-Porchaire, au sud de Rochefort. Leur fille, Ninette, tiendra une grande place dans les affections de son oncle.

1865 : 10 mars : mort de Gustave (maladies tropicales) à bord de l'*Alphée*, dans l'océan Indien.

12 juin : mort de Lucette Duplais, grande amie d'enfance, à son retour de Guyane.

1866 : A Saint-Porchaire, Julien est initié « au grand mystère de la vie » par une Gitane un peu plus âgée que lui.

Septembre : les Viaud, qui connaissent des difficultés financières, sont obligés de louer une partie de la maison familiale, après avoir supprimé les leçons de piano et d'équitation de Julien.

Jean-Théodore, le père, est accusé de vol par la mairie. Il passe quelques jours en prison. Il sera acquitté en février 1868.

9 octobre : départ de Julien pour Paris afin de préparer au lycée Napoléon (Henri-IV) le concours d'entrée à l'École navale. Il loge, rue de l'Estrapade, dans une pension tenue par Aimé Bon, frère d'Armand.

Novembre : Julien commence à rédiger son Journal intime, qu'il tiendra à peu près régulièrement jusqu'en 1918 (et qu'il expurgera dans les dernières années de sa vie).

1867 : 12 juillet : Julien passe le concours d'entrée à Navale ; reçu 40ᵉ sur 60.

Octobre : Julien arrive à Brest sur le *Borda*, navire-école de la Marine nationale. Nombreux séjours à l'hôpital durant ses années d'école ; vacances d'été à Rochefort.

1868 : Février : mort de la grand-mère Texier.

Août : première sortie de Julien en mer, sur le *Bougainville* (depuis Cherbourg).

1869 : Octobre : embarquement sur le *Jean-Bart* (jusqu'en août 1870).

Campagne d'instruction en Méditerranée, Brésil, États-Unis, Canada.

Amitié avec Joseph Bernard (le « John » du *Mariage de Loti*) qui l'aide à essayer de sauver la maison familiale de plus en plus menacée.

1870 : 8 juin : mort de Jean-Théodore Viaud.

8 août : embarquement sur le *Decrès* (jusqu'au 15 mars 1871).

Guerre en Manche, mer du Nord, Baltique.

1871 : Henry Duplais, le frère de Lucette, conseille à

Julien, majeur, de racheter la maison familiale. Julien ne sera libéré de ses dettes qu'en 1880.

Mars : embarquement sur le *Vaudreuil* (avec J. Bernard) : Amérique latine, détroit de Magellan. A Valparaiso, en novembre, embarquement sur la *Flore* : île de Pâques, Tahiti (janvier-mars 1872), San Francisco, Montevideo, Rio. Julien envoie des dessins de l'île de Pâques et de Tahiti à *L'Illustration*. A Tahiti, il visite la case de son frère Gustave, retrouve la femme que celui-ci avait aimée. Lui-même reçoit le prénom de « Loti » (ou Rôti : rose ? laurier-rose ?).

1873 : à Rochefort pour quelques mois.

Juin : nommé enseigne de vaisseau.

Septembre : embarquement (avec J. Bernard) sur le *Pétrel* : campagne du Sénégal (encore des dessins pour *L'Illustration*). A Saint-Louis, passion malheureuse pour une femme mariée ; Julien est transféré sur *L'Espadon* à Dakar.

1874 : Octobre : voyage à Genève pour revoir la femme de Saint-Louis du Sénégal et son fils présumé. Échec. En 1882, Julien renoncera à tout droit sur ce fils.

1875 : Mise en congé. Stage de six mois à l'École de gymnastique de Joinville. Fin de l'amitié avec J. Bernard.

1876 : Sur la *Couronne* puis le *Gladiateur*, Toulon, Méditerranée, le Levant.

Avril : numéro d'acrobatie au Cirque Étrusque à Toulon.

Octobre (jusqu'en mars 1877) : patrouille dans le Bosphore ; séjour à Istanbul : rencontre d'Hakidjé, femme de harem, dont il fera l'héroïne d'*Aziyadé*.

1877 : D'abord à Rochefort, puis à Brest sur le *Tonnerre*. Il y retrouve le matelot Pierre Le Cor (héros de *Mon frère Yves*) ; découverte de la Bretagne.

· **1878** : Sur la *Moselle*, côtes bretonnes.

Février : séjour à la Trappe de Bricquebec (il en fera un second en 1879).

A Paris, il fréquente Sarah Bernhardt (qu'il connaît sans doute depuis 1875).

1879 : 20 janvier : publication d'*Aziyadé*, sans nom d'auteur (« extrait des notes et lettres d'un lieutenant de la Marine anglaise [...] mort le 27 octobre 1877 ») chez Calmann-Lévy, qui publiera tous ses livres, à une ou deux exceptions près.

Service à la caserne Saint-Maurice à Rochefort.

1880 : Sur le *Friedland* en Méditerranée (Algérie, Adriatique) ; reportages au *Monde illustré*, signés Pierre Loti.

Mars : publication de *Le Mariage de Loti — Rarahu*, par « l'auteur d'*Aziyadé* ». Le roman est d'abord paru en feuilleton dans *La Nouvelle Revue* de Juliette Adam qui devient la protectrice littéraire de Loti.

Amitié avec A. Daudet.

1881 : Février : nommé lieutenant de vaisseau.

Septembre : *Le Roman d'un spahi*, signé Pierre Loti.

1882 : Rencontre à Brest d'une jeune femme bretonne, « l'Islandaise », qu'il tentera d'épouser, sans succès.

Novembre : *Fleurs d'ennui* (en collaboration avec « Plumkett », pseudonyme de Lucien Jousselin qui a contribué à la publication des premiers romans).

1883 : De mai à décembre : sur *L'Atalante*, campagne du Tonkin. Loti publie trois articles dans *Le Figaro* pour dénoncer les massacres du corps expéditionnaire. Scandale. Il est rappelé en métropole et affecté au bureau du port à Rochefort.

Octobre : *Mon frère Yves*.

1885 : nouvel embarquement pour l'Extrême-Orient sur le *Mytho* puis la *Triomphante*.

Juillet : séjour à Nagasaki.

1886 : *Pêcheur d'Islande*.

21 octobre : mariage avec Blanche Franc de Ferrière.

1887 : Septembre-octobre : congé, voyage en Roumanie (auprès de la reine Élisabeth, sa traductrice sous le nom de Carmen Sylva) et à Constantinople.

Novembre : *Madame Chrysanthème*.

1889 : 17 mars : naissance de son fils Samuel (en 1887, Blanche avait fait une fausse couche).

Avril-mai : en mission officielle au Maroc.

1890 : 15 janvier : début de la publication en feuilleton (en 6 numéros jusqu'au 1er avril) du *Roman d'un enfant* dans *La Nouvelle Revue*.

Avril-mai : nouveau séjour à Bucarest et à Constantinople.

Mai : *Le Roman d'un enfant*, publié en volume.

1891 : Mai : élection à l'Académie française à sa seconde tentative.

Il est alors en Méditerranée sur le *Formidable*.

1892 : 7 avril : réception à l'Académie. Son discours est un pamphlet contre le naturalisme. Zola, à son insu, assiste à la séance.

Décembre : affecté à Hendaye.

1893 : Rencontre de Crucita, jeune Basque espagnole, que Loti installe à Rochefort le 1er septembre 1894. Il aura d'elle trois enfants, Raymond, Edmond et Léo.

1894 : Février-mai : voyage privé en Terre Sainte (Jérusalem, Arabie, Damas, Baalbek, Turquie).
Installation dans la maison d'Hendaye (« Bakhar-Etchea ») qu'il achètera en 1904.

1896 : 10 novembre : mort de Nadine Viaud, la mère de Loti.

1898 : Mis à la retraite d'office. Il obtient d'être réintégré en 1900 et promu capitaine de frégate.

1899 : Novembre : pour le ministère des Affaires étrangères, voyage en Inde et en Perse (jusqu'en juin 1900).

1900 : Sur le *Redoutable* : campagne d'Extrême-Orient, révolte des Boxers en Chine.

1901 : Novembre-décembre : pèlerinage aux ruines d'Angkor.

1902 : Au retour de Chine, Loti installe une salle chinoise dans la maison de Rochefort qu'il a commencé à transformer en 1877, y aménageant successivement une salle turque, une chambre arabe, une pagode japonaise (disparue depuis), une immense salle gothique (en 1895, il achète une maison mitoyenne, puis une autre en 1897), des salons Louis XV et Louis XVI, une salle à manger Renaissance, une chambre des momies, la mosquée. Il y donne des fêtes célèbres (dîner Louis XI, fête arabe, représentation de *Salammbô*, du 4e acte des *Huguenots* de Meyerbeer, etc.).

1903 : A Constantinople sur le *Vautour*. Il y rencontre trois femmes (dont une Française « Marc Hélys ») : victime d'une mystification qui conduira à l'écriture des *Désenchantées* (1906), livre sur la condition de la femme turque.

1905-6 : A Rochefort, commandant du Dépôt.
Août : nommé capitaine de vaisseau.

1907 : Janvier-mai : voyage privé en Égypte et en Arabie.
Août : mis en résidence conditionnelle jusqu'à sa retraite.

1909 : Voyage officiel à Londres.
Sa femme se retire en Dordogne (elle mourra en 1940).

1910 : 14 janvier : mis à la retraite après quarante-deux ans de service dont douze ans à la mer.
Août-octobre : voyage à Constantinople.

1912 : Septembre-octobre : voyage aux États-Unis.

1913 : 25 avril : gala Pierre Loti en hommage à l'écrivain.
Août-septembre : voyage en Turquie.

1914 : Loti veut reprendre du service.

Septembre : agent de liaison de Gallieni.

1915 : A l'état-major des armées de Champagne.

Négociations avec la Turquie.

1916 : Pétain refuse de le laisser venir à Verdun.

A l'état-major des armées de l'Est.

1917 : 29 juin : baptême de l'air sur le front.

Mission en Italie.

1918 : Démobilisé puis réintégré.

1er juin : départ définitif de l'armée. Citation à l'ordre de l'armée.

Août : il abandonne la rédaction du Journal intime qu'il tenait depuis plus de cinquante ans.

1919 : Nouvelles actions en faveur de la Turquie et de Mustapha Kemal.

1921 : Première attaque de paralysie.

1923 : 10 juin : Loti meurt à Hendaye, qu'il a voulu revoir.

12 juin : funérailles nationales à Rochefort. Il est enterré dans le jardin de la maison de Saint-Pierre-d'Oléron.

La maison natale de Pierre Loti à Rochefort est devenue un musée. Cette maison est peut-être l'œuvre la plus originale de Loti, celle où se traduisent le plus clairement ses goûts et ses fantasmes. S'y juxtaposent et s'y imbriquent une maison bourgeoise traditionnelle et les reconstitutions médiévale et orientale. S'y exposent les souvenirs des voyages comme les reliques de l'enfance. Le Musée conserve de nombreux objets évoqués dans *Le Roman d'un enfant* : le théâtre de Peau d'Ane, la Bible avec la fleur séchée, l'ours aux pralines, les papillons, les partitions musicales, etc. Le petit musée est toujours là, et aussi le lac et la grotte de rocailles construits par Gustave pour son frère dans la petite cour. Mais à l'ombre d'un insolite minaret maintenant, et de la porte d'un temple chinois...

CHRONOLOGIE DE L'ŒUVRE

Il s'agit des œuvres publiées en volume par Pierre Loti de son vivant et, sauf mention contraire, chez son éditeur Calmann-Lévy. La date ici mentionnée est celle de la mise en vente en librairie.

janvier	1879	*Aziyadé — Stamboul 1876-1877* (anonyme).
mars	1880	*Le Mariage de Loti — Rarahu* (« par l'auteur d'Aziyadé »; *Rarahu — idylle polynésienne* étant prêt à paraître fin 1879).
septembre	1881	*Le Roman d'un spahi.*
novembre	1882	*Fleurs d'ennui — Pasquala Ivanovitch — Voyage au Monténégro — Suleïma.*
octobre	1883	*Mon frère Yves.*
octobre	1884	*Les Trois Dames de la Kasbah* (1re édition séparée).
juin	1886	*Pêcheur d'Islande.*
juin	1887	*Propos d'exil.*
novembre	1887	*Madame Chrysanthème* (éd. du *Figaro* datée 1888. En mars 1893 chez Calmann-Lévy).
mars	1889	*Japoneries d'automne.*
janvier	1890	*Au Maroc.*
mai	1890	*Le Roman d'un enfant.*
juillet	1891	*Le Livre de la Pitié et de la Mort.*
novembre	1891	*L'Œuvre de Pen-Bron, près le Croisic* (brochure de 14 p., Tours, Mame, paru dans le volume précédent).
février	1892	*Fantôme d'Orient.*

mars	1892	*Constantinople* (Paris, Hachette, « Les capitales du monde »; livraison IV, repris dans *L'Exilée*).
avril	1892	*Matelot* (A. Lemerre éd., chez Calmann-Lévy en avril 1898).
avril	1892	*Discours de réception à l'Académie française* (Firmin-Didot, puis Calmann-Lévy).
février	1893	*Une exilée* (Lyon, Soc. des Amis des Livres. Chez Calmann-Lévy en mai 1893, sous le titre *L'Exilée*).
février	1893	*Pêcheur d'Islande* (adaptation théâtrale, en collaboration avec Louis Tiercelin).
septembre	1893	*La Grotte d'Isturitz* (tiré à part du *Bull. de la Soc. des Sciences et des Arts de Bayonne*, réimprimé dans *Figures et choses qui passaient*).
janvier	1895	*Le Désert*.
mars	1895	*Jérusalem*.
octobre	1895	*La Galilée* (daté 1896).
avril	1897	*Ramuntcho*.
novembre	1897	*Figures et choses qui passaient* (daté 1898).
mars	1898	*L'Ile du rêve*, en collaboration avec André Alexandre et Georges Hartmann.
novembre	1898	*Judith Renaudin* (théâtre).
novembre	1898	*Rapport sur les prix de vertu* (Firmin-Didot puis Calmann-Lévy) repris sous le titre « Ceux devant qui il faudrait plier le genou » dans *Le Château de la Belle-au-Bois-dormant*).
décembre	1898	*La Chanson des vieux époux* (Lib. Conquet-Carteret, daté 1899; tiré du *Livre de la Pitié et de la Mort*).
mai	1899	*Reflets sur la sombre route*.
février	1902	*Les Derniers Jours de Pékin*.
mars	1903	*L'Inde (sans les Anglais)*.
mars	1904	*Vers Ispahan*.
novembre	1904	*Le Roi Lear*, de Shakespeare (traduction en collaboration avec Émile Vedel).
avril	1905	*La Troisième Jeunesse de Madame Prune*.
juillet	1906	*Les Désenchantées*.
avril	1908	*Ramuntcho* (théâtre).
janvier	1909	*La Mort de Philae*.
décembre	1909	*Discours à l'Académie pour la réception de*

		Jean Aicard (Firmin-Didot puis Cal-mann-Lévy).
mai	1910	*Le Château de la Belle-au-bois-dormant.*
juin	1911	*La Fille du ciel* (théâtre, en collaboration avec Judith Gautier).
février	1912	*Un pèlerin d'Angkor.*
janvier	1913	*Turquie agonisante* (plusieurs éditions revues et augmentées la même année).
juillet	1915	*La Grande Barbarie (fragments)* (repris dans *La Hyène enragée*).
octobre	1915	*A Soissons* (Firmin-Didot, repris dans *La Hyène enragée*).
juillet	1916	*La Hyène enragée.*
mars	1917	*Quelques aspects du vertige mondial* (Flammarion, chez Calmann-Lévy en mai 1928).
juillet	1917	*L'Outrage des barbares* (impr. Malherbe, Paris, repris dans *L'Horreur allemande*).
juin	1918	*Court intermède de charme au milieu de l'horreur* (Paris, impr. Renouard, extrait de *Revue des Deux Mondes*, repris dans *L'Horreur allemande*).
août	1918	*L'Horreur allemande.*
janvier	1919	*Les Massacres d'Arménie.*
janvier	1919	*Les alliés qu'il nous faudrait* (brochure à compte d'auteur, Bayonne, A. Foltzer, augmentée chez Calmann-Lévy en nov.).
juillet	1919	*Mon premier grand chagrin* (Champion, réimprimé dans le volume suivant).
décembre	1919	*Prime jeunesse.*
septembre	1920	*La Mort de notre chère France en Orient.*
septembre	1921	*Suprêmes visions d'Orient* (en collaboration avec son fils Samuel Viaud).

Posthumes :

juillet	1923	*Un jeune officier pauvre* (en collaboration avec son fils).
juillet	1925	*Journal intime — 1878-1881* (publié par son fils Samuel Viaud).
janvier	1929	*Journal intime — 1882-1885* (publié par son fils Samuel Viaud).

TABLE

Préface 7

LE ROMAN D'UN ENFANT 39

Notes 257
Annexes 263
Bibliographie 275
Chronologie 277
Chronologie de l'œuvre 283

GF — TEXTE INTÉGRAL — GF

3102-XII-1993. — Imp. SEPC, St-Amand (Cher).
Nº d'édition : 14898. — Octobre 1988. — Printed in France.